#시험대비
#핵심정복

7일 끝
시험 대비
독해 기초

Chunjae
Makes
Chunjae

▼

[7일끝 고등 영어] 독해

발행일   2021년 9월 15일 초판 2021년 9월 15일 1쇄
발행인   (주)천재교육
주소   서울시 금천구 가산로9길 54
신고번호 제2001-000018호
고객센터 1577-0902
교재 내용문의 (02)3282-1711

7일 끝으로 끝내자!

7

고등 영어 독해

BOOK 1

이 책의 구성과 활용

일별 시험 공부

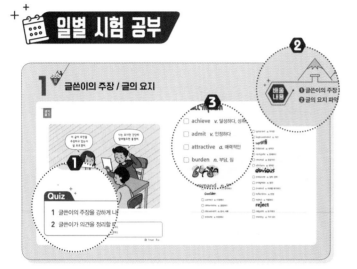

생각 열기 + 단어 미리 보기

만화와 함께 본격적인 공부에 앞서 학습 내용을 가볍게 짚고 넘어갈 수 있습니다.

❶ Quiz │ 간단한 퀴즈를 통해 기본적인 내용을 알고 있는지 확인하기

❷ 배울 내용 │ 오늘 공부할 학습 내용 확인하기

❸ 단어 미리 보기 │ 오늘 학습에 필요한 단어 확인하기

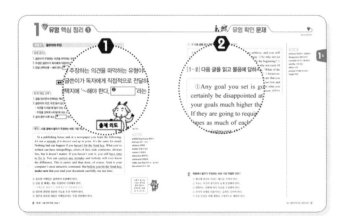

유형 핵심 정리 + 유형 확인 문제

꼭 알아야 독해 유형 핵심 내용을 공부하고, 유형 확인 문제를 통해 내용을 잘 이해했는지 꼼꼼히 확인할 수 있습니다.

❶ 유형 핵심 정리 │ 빈칸 문제를 채우며 핵심 내용 체크하기

❷ 유형 확인 문제 │ 유형 핵심 정리 내용에 대한 확인 문제 풀기

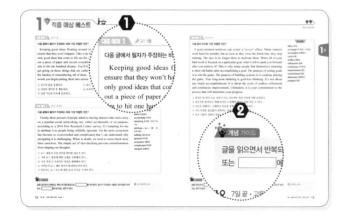

적중 예상 베스트

학교 시험 유형의 대표 예제를 연습하여 시험에 효과적으로 대비할 수 있습니다.

❶ 기출 지문 활용 │ 전국연합학력평가의 기출 지문을 활용하여 학교 시험 문제 유형 익히기

❷ 개념 가이드 │ 빈칸을 채우며 문제를 푸는 데 도움이 되는 개념 확인하기

시험 공부 마무리 테스트

누구나 100점 테스트

아주 쉬운 예상 문제로 100점에 도전하여 시험에 대한 자신감을 키울 수 있습니다.

창의·융합·서술·코딩 테스트

쉽고 다양한 서술형 문제를 통해 어렵게 느껴지는 서술형 문제에 대한 자신감을 키울 수 있습니다.

학교 시험 기본 테스트

학교 시험 유형의 예상 문제를 풀어 봄으로써 내신에 대한 자신감을 키울 수 있습니다.

시험 직전까지 챙겨야 할 부록

◈ 핵심 정리 총집합 카드

가장 중요한 핵심 내용만 모아 카드 형식으로 수록하였습니다. 휴대하여 이동할 때나 시험 직전에 활용할 수 있습니다.

◈ 어휘 목록 / 어휘 테스트

7일 동안 학습한 어휘를 정리하고 테스트를 통해 확인할 수 있도록 했습니다.

이 책의 차례

Book 1

1일 글쓴이의 주장 / 글의 요지 6
① 글쓴이의 주장 파악하기
② 글의 요지 파악하기

2일 글의 주제 / 글의 제목 14
① 글의 주제 파악하기
② 글의 제목 추론하기

3일 글의 목적 / 요약문 완성 22
① 글의 목적 파악하기
② 요약문 완성하기

4일 연결어 / 무관한 문장 30
① 연결어 파악하기
② 무관한 문장 찾기

5일 문장의 위치 / 글의 순서 38
① 문장의 위치 찾기
② 글의 순서 정하기

6일 누구나 100점 테스트 **1회** 46
누구나 100점 테스트 **2회** 48
창의·융합·서술·코딩 테스트 **1회** 50
창의·융합·서술·코딩 테스트 **2회** 52

7일 학교 시험 기본 테스트 **1회** 54
학교 시험 기본 테스트 **2회** 58

◇ 정답과 해설
◇ 어휘 목록 / 어휘 테스트
◇ 핵심 정리 총집합 카드

Book 2

1일 빈칸 추론 ·· 6
① 빈칸 추론하기 – 전반부
② 빈칸 추론하기 – 중·후반부

2일 지칭 추론 / 내용 일치 ························· 14
① 지칭어구가 지칭하는 대상 찾기
② 내용의 일치·불일치 여부 판단하기

3일 도표 / 안내문 ··································· 22
① 도표의 내용 파악하기
② 안내문의 내용 파악하기

4일 심경·분위기 / 밑줄 친 부분의 의미 파악 ··· 30
① 등장인물의 심경·글의 분위기 파악하기
② 밑줄 친 부분의 의미 파악하기

5일 어법 / 어휘 ····································· 38
① 어법상 쓰임이 적절한지 판단하기
② 어휘의 쓰임이 옳은지 판단하기

6일
누구나 100점 테스트 1회 ···················· 46
누구나 100점 테스트 2회 ···················· 48
창의·융합·서술·코딩 테스트 1회 ·········· 50
창의·융합·서술·코딩 테스트 2회 ·········· 52

7일
학교 시험 기본 테스트 1회 ·················· 54
학교 시험 기본 테스트 2회 ·················· 58

💎 정답과 해설
💎 어휘 목록 / 어휘 테스트
💎 핵심 정리 총집합 카드

글쓴이의 주장 / 글의 요지

생각 열기

Quiz

1 글쓴이의 주장을 강하게 나타낼 때 쓰는 조동사는 may / must 이다.

2 글쓴이가 의견을 정리할 때 주로 쓰는 연결어는 so / however 이다.

답 **1** must **2** so

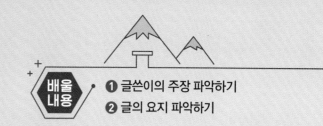

단어 미리 보기

check~

- [ ] **accomplish** *v.* 성취하다

- [ ] **achieve** *v.* 달성하다, 성취하다

- [ ] **admit** *v.* 인정하다

- [ ] **attractive** *a.* 매력적인

- [ ] **burden** *n.* 부담, 짐

- [ ] **command** *n.* 명령(어)

- [ ] **complicated** *a.* 복잡한

- [ ] **concern** *n.* 관심, 염려

- [ ] **consider** *v.* 여기다, 생각하다

- [ ] **correct** *v.* 수정하다

- [ ] **determine** *v.* 결정하다

- [ ] **document** *n.* 문서, 서류

- [ ] **ensure** *v.* 보장하다

- [ ] **ignorant** *a.* 무지한

- [ ] **improvement** *n.* 개선

- [ ] **internal** *a.* 내적인

- [ ] **navigate** *v.* 항해하다

- [ ] **neutral** *a.* 중립적인

- [ ] **obvious** *a.* 명백한

- [ ] **pressure** *n.* 압박, 압력

- [ ] **progress** *n.* 발전

- [ ] **protest** *v.* 이의를 제기하다

- [ ] **reflection** *n.* 반영

- [ ] **reject** *v.* 거절하다

- [ ] **require** *v.* 요구하다

- [ ] **worthy** *a.* 가치 있는

1일 유형 핵심 정리 ❶

유형 분석

1. 글쓴이가 주장하는 의견을 파악하는 유형이다.
2. 주장은 글쓴이가 독자에게 직접적으로 전달하는 메시지로 주로 ❶ [____] 이 많다.
3. 한글 선택지에 '～해야 한다, ❷ [____]'라는 표현이 많이 쓰인다.

❶ 논설문
❷ ～해라

출제 의도 ─ 필자의 주장을 추론한다.

문제 해결 전략

1. 글을 읽으면서 반복되는 핵심 어구를 중심으로 소재를 파악한다.
2. 글쓴이의 의견, 주장 등이 담긴 표현과 ❸ [____]에 주목한다.
   • 의견을 드러낼 때 많이 쓰는 형용사: important, necessary, crucial, vital, desirable 등
   • 주장을 강하게 나타낼 때 쓰는 (조)동사: must, should, have to, need to 등
3. 글의 중반 이후 또는 ❹ [____] 부분에 글쓴이의 주장이 제시되는 경우가 많다.

❸ 명령문
❹ 마지막

예제 | 다음 글에서 필자가 주장하는 바로 가장 적절한 것은? ✎ 고1 3월

해설 2쪽

At a publishing house and at a newspaper you learn the following: *It's not a mistake if it doesn't end up in print*. It's the same for email. Nothing bad can happen if you <u>haven't hit the Send key</u>. What you've written can have misspellings, errors of fact, rude comments, obvious lies, but it doesn't matter. If you haven't sent it, you still <u>have time to fix it</u>. You can <u>correct any mistake</u> and nobody will ever know the difference. This is easier said than done, of course. Send is your computer's most attractive command. But <u>before you hit the Send key</u>, **make sure** that you read your document carefully one last time.

Words

publishing house 출판사
end up 결국 ～하다
obvious 명백한
matter 문제가 되다
correct 수정하다
attractive 매력적인
command 명령(어)
make sure that 반드시 ～을 하다
document 문서, 서류

① 중요한 이메일은 출력하여 보관해야 한다.
② 글을 쓸 때에는 개요 작성부터 시작해야 한다.
③ 이메일을 전송하기 전에 반드시 검토해야 한다.
④ 업무와 관련된 컴퓨터 기능을 우선 익혀야 한다.
⑤ 업무상 중요한 내용은 이메일보다는 직접 전달해야 한다.

지문에 표시된 어구와 문장을 통해 필자가 주장하는 바를 알 수 있어요.

[1~2] 다음 글을 읽고 물음에 답하시오. 📝고1 9월 응용

①Any goal you set is going to be difficult to achieve, and you will certainly be disappointed at some points along the way. ②So why not set your goals much higher than you consider worthy from the beginning? ③ If they are going to require work, effort, and energy, then why not exert 10 times as much of each? ④You might be protesting, saying, "What of the disappointment that comes from setting unrealistic goals?" ⑤However, take just a few moments to look back over your life. Chances are that you have more often been disappointed by setting targets that are too low and achieving them — only to be shocked that you still didn't get what you wanted.

*exert: 발휘하다

Words

achieve 달성하다, 성취하다
disappoint 실망시키다
consider 여기다, 생각하다
worthy 가치 있는
effort 노력
protest 이의를 제기하다
target 목표

1 윗글의 ①~⑤ 중 필자의 의견이 가장 잘 드러난 문장은?

2 윗글에서 필자가 주장하는 바로 가장 적절한 것은?

① 매사에 최선을 다하는 태도를 가져야 한다.
② 목표는 자신의 생각보다 높게 설정해야 한다.
③ 변화하는 상황에 따라 목표를 수정해야 한다.
④ 과거의 실패를 되돌아보는 습관을 길러야 한다.
⑤ 목표 달성을 위해 계획을 구체적으로 세워야 한다.

유형 2 글의 요지

유형 분석

1. 글의 **❶** 을 추론하는 유형이다.

2. 요지는 주제나 중심 내용을 간결한 문장 형태로 나타내는데, 글의 일부분이 아닌 **❷** 에 나타나 있는 글쓴이의 견해를 말한다.

❶ 핵심 내용
❷ 글 전체

출제 의도 — 글의 요지를 추론한다.

문제 해결 전략

1. 글을 읽으면서 반복되는 핵심 어구를 중심으로 소재를 파악한다.

2. 글쓴이의 관점이나 견해 등이 담긴 표현에 주목한다.
   • 대조와 결론을 나타내는 연결어: but, however, nevertheless 등은 **❸** 을 제기할 때, thus나 so 등은 의견을 정리할 때 사용된다.

3. 글의 중반 이후 또는 마지막 부분에 **❹** 가 제시되는 경우가 많다.

❸ 반론
❹ 글의 요지

예제 다음 글의 요지로 가장 적절한 것은? ✎고1 3월 응용

해설 2쪽

If you care deeply about something, you may place greater value on your ability to succeed in that area of concern. The internal pressure you place on yourself to achieve or do well socially is normal and useful, but when you doubt your ability to succeed in areas that are important to you, your self-worth suffers. It's not the pressure to perform that creates your stress. Rather, it's the self-doubt that bothers you. Doubt causes you to see positive, neutral, and even genuinely negative experiences more negatively and as a reflection of your own shortcomings. When you see situations and your strengths more objectively, you are less likely to have doubt as the source of your distress.

*distress: 괴로움

Words

concern 관심, 염려
internal 내적인
pressure 압박, 압력
doubt 의심하다; 의심
self-worth 자아 존중감
bother 괴롭히다
neutral 중립적인
genuinely 진짜로, 정말로
negative 부정적인
reflection 반영
shortcoming 단점
strength 강점
objectively 객관적으로

① 비판적인 시각은 객관적인 문제 분석에 도움이 된다.
② 성취 욕구는 스트레스를 이겨 낼 원동력이 될 수 있다.
③ 적절한 수준의 스트레스는 과제 수행의 효율을 높인다.
④ 실패의 경험은 자존감을 낮추고, 타인에 의존하게 한다.
⑤ 자기 의심은 스트레스를 유발하고, 객관적 판단을 흐린다.

지문에 표시된 어구와 문장을 통해 글의 요지를 알 수 있어요.

정답과 해설 **2**쪽

[3~4] 다음 글을 읽고 물음에 답하시오. ✎ 고1 3월 응용

Practically anything of value requires that we take a risk of failure or being rejected. This is the price we all must pay for achieving the greater rewards lying ahead of us. To take risks means you will succeed sometime but never to take a risk means that you will never succeed. Life is filled with a lot of risks and challenges and if you want to get away from all these, you will be left behind in the race of life. A person who can never take a(n) _____ can't learn anything. For example, if you never take the risk to drive a car, you can never learn to drive.

Words

practically 사실상
value 가치
require 요구하다
take a risk 위험을 무릅쓰다
reject 거절하다
reward 보상, 보답
sometime 언젠가
get away from ~에서 벗어나다[피하다]
be left behind 뒤처지다

3 윗글의 빈칸에 알맞은 말을 본문에서 찾아 쓰시오.

➡ _____

4 윗글의 요지로 가장 적절한 것은?

① 위험을 무릅쓰지 않으면 아무 것도 얻지 못한다.
② 자신이 잘하는 일에 집중하는 것이 효율적이다.
③ 잦은 실패 경험은 도전할 의지를 잃게 한다.
④ 위험 요소가 있으면 미리 피하는 것이 좋다.
⑤ 부탁을 자주 거절하면 신뢰를 잃는다.

1일 적중 예상 베스트

다음 글에서 필자가 주장하는 바로 가장 적절한 것은?

Keeping good ideas floating around in your head is a great way to ensure that they won't happen. Take a tip from writers, who know that the only good ideas that come to life are the ones that get written down. Take out a piece of paper and record everything you'd love to do someday— aim to hit one hundred dreams. You'll have a reminder and motivator to get going on those things that are calling you, and you also won't have the burden of remembering all of them. When you put your dreams into words you begin putting them into action.

① 친구의 꿈을 응원하라.
② 하고 싶은 일을 적으라.
③ 신중히 생각한 후 행동하라.
④ 효과적인 기억법을 개발하라.
⑤ 실현 가능한 목표에 집중하라.

Words

float around (생각·소문 등이) 떠돌다
ensure 보장하다
hit (특정 수량·수준에) 이르다
reminder 상기시키는 것, 생각나게 하는 것
motivator 동기를 부여하는 것
get going 시작하다, 착수하다
burden 부담, 짐

다음 글에서 필자가 주장하는 바로 가장 적절한 것은?

Twenty-three percent of people admit to having shared a fake news story on a popular social networking site, either accidentally or on purpose, according to a 2016 Pew Research Center survey. It's tempting for me to attribute it to people being willfully ignorant. Yet the news ecosystem has become so overcrowded and complicated that I can understand why navigating it is challenging. When in doubt, we need to cross-check story lines ourselves. The simple act of fact-checking prevents misinformation from shaping our thoughts.

① 뉴스 내용의 사실 여부를 확인할 필요가 있다.
② 가짜 뉴스 생산에 대한 규제를 강화해야 한다.
③ 기사 작성 시 주관적인 의견을 배제해야 한다.
④ 시민들의 뉴스 제보 참여가 활성화되어야 한다.
⑤ 언론사는 뉴스 보도에 대한 윤리 의식을 가져야 한다.

Words

admit 인정하다
accidentally 우연히
tempting 솔깃한, 구미가 당기는
attribute ~ to .... ~를 … 탓으로 하다
willfully 의도적으로
ignorant 무지한
ecosystem 생태계
complicated 복잡한
navigate 항해하다

개념 가이드

글을 읽으면서 반복되는 핵심 어구를 중심으로 [   ]를 파악한다. 필자가 주장하는 내용은 글의 중반 이후 또는 [   ]에 제시되는 경우가 많다.   🔑 소재, 마지막 부분

정답과 해설 2쪽

대표 예제 3 고1 6월

다음 글의 요지로 가장 적절한 것은?

　A goal-oriented mind-set can create a "yo-yo" effect. Many runners work hard for months, but as soon as they cross the finish line, they stop training. The race is no longer there to motivate them. When all of your hard work is focused on a particular goal, what is left to push you forward after you achieve it? This is why many people find themselves returning to their old habits after accomplishing a goal. The purpose of setting goals is to win the game. The purpose of building systems is to continue playing the game. True long-term thinking is goal-less thinking. It's not about any single accomplishment. It is about the cycle of endless refinement and continuous improvement. Ultimately, it is your commitment to the process that will determine your progress.

① 발전은 한 번의 목표 성취가 아닌 지속적인 개선 과정에 의해 결정된다.
② 결승선을 통과하기 위해 장시간 노력해야 원하는 바를 얻을 수 있다.
③ 성공을 위해서는 구체적인 목표를 설정하는 것이 중요하다.
④ 지난 과정을 끊임없이 반복하는 것이 성공의 지름길이다.
⑤ 목표 지향적 성향이 강할수록 발전이 빠르게 이루어진다.

Words

effect 효과
no longer 더 이상 ~가 아닌
accomplish 성취하다
cycle 순환
endless 끝없는
refinement 정제
continuous 지속적인
improvement 개선
commitment 전념
determine 결정하다
progress 발전

 개념 가이드

글을 읽으면서 [　　　]를 통해 글의 소재를 파악한다. 글의 중반 이후 또는 마지막 부분에 글의 요지가 제시되는 경우가 많다. 📄 반복되는 어구

1일 • 글쓴이의 주장 / 글의 요지 **13**

2일 글의 주제 / 글의 제목

생각 열기

Quiz

1 글의 주제나 제목을 찾는 문제를 풀 때는 지문 / 선택지 을(를) 먼저 읽는 것이 좋다.

2 주제에 비해 제목은 직접적 / 비유적 으로 표현되는 경우가 있다.

답 **1** 선택지 **2** 비유적

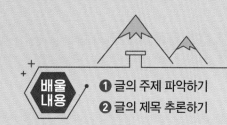
단어 미리 보기

check~

- [ ] **assistant** *n.* 조수
- [ ] **compassion** *n.* 연민
- [ ] **compete** *v.* 경쟁하다

  compete
- [ ] **comprehension** *n.* 이해
- [ ] **cooperate** *v.* 협력하다

  cooperate
- [ ] **critical** *a.* 중요한
- [ ] **development** *n.* 발달, 성장
- [ ] **eliminate** *v.* 없애다, 제거하다

- [ ] **estimate** *v.* 추산하다
- [ ] **evidence** *n.* 증거
- [ ] **function** *n.* 기능
- [ ] **genuine** *a.* 진짜의
- [ ] **individual** *a.* 개개의, 각각의

- [ ] **infancy** *n.* 유아기
- [ ] **intensity** *n.* 강도, 강함
- [ ] **multiple** *a.* 여러 번의
- [ ] **opportunity** *n.* 기회

  opportunity
- [ ] **physical** *a.* 신체의, 육체의
- [ ] **polish** *v.* 다듬다, 닦다
- [ ] **primary** *a.* 기본적인, 주된
- [ ] **promote** *v.* 촉진하다

  promote
- [ ] **purpose** *n.* 목적

  purpose
- [ ] **recall** *v.* 기억해 내다
- [ ] **response** *n.* 반응, 응답
- [ ] **sacrifice** *n.* 희생
- [ ] **treatment** *n.* 치료, 처치

2일 유형 핵심 정리 ❶

유형 1 글의 주제

유형 분석

1. 글의 주제는 글쓴이가 말하고자 하는 핵심 내용이다.
2. 선택지는 핵심어를 포함한 ❶ [   ] 형태로 제시된다.

❶ 명사구

출제 의도 ◁ 글의 주제를 추론한다.

문제 해결 전략

1. ❷ [   ] 를 먼저 읽고 글의 내용을 미리 예측해 본다.

❷ 선택지

2. 글의 전개 방식과 ❸ [   ] 를 통해 글의 요지를 파악한다.

❸ 연결어

• 두괄식: 요지 + 부연 설명 • 중괄식: 통념 + 요지 + 부연 설명 • 미괄식: 부연 설명 + 요지

3. 파악한 핵심 내용을 토대로 주제를 적절히 표현한 선택지를 고른다.

예제 ㅣ 다음 글의 주제로 가장 적절한 것은? ✐고1 3월 응용

해설 3쪽

When two people are involved in an honest and open conversation, there is a back and forth flow of information. Since each one is drawing on their past personal experiences, the pace of the exchange is as fast as memory. When one person lies, their responses will come more slowly because the brain needs more time to process the details of a new invention than to recall stored facts. You will notice the time lag when you are having a conversation with someone who is making things up as they go. Don't forget that the other person may be reading your body language as well, and if you seem to be disbelieving their story, they will have to pause to process that information, too. *lag: 지연

① delayed responses as a sign of lying
② ways listeners encourage the speaker
③ difficulties in finding useful information
④ necessity of white lies in social settings
⑤ shared experiences as conversation topics

Words

be involved in ~에 참여하다, ~과 관련되다
back and forth 왔다 갔다 하는
draw on ~에 의존하다, ~을 이용하다
response 반응, 응답
process 처리하다
invention 꾸며 낸 이야기, 창작
recall 기억해 내다
make ~ up ~을 꾸며 내다, ~을 지어 내다
pause 잠시 멈추다

지문에 표시된 문장의 내용을 파악하면 글의 주제를 알 수 있어요.

2일

[1~2] 다음 글을 읽고 물음에 답하시오. ✐고1 9월 응용

①In children, play has important functions during development. ②From its earliest beginnings in infancy, play is a way in which children learn about the world and their place in it. ③Children's play serves as a training ground for developing physical abilities — skills like walking, running, and jumping that are necessary for everyday living. ④Play also allows children to try out and learn social behaviors and to acquire values and personality traits that will be important in adulthood. ⑤For example, they learn how to compete and cooperate with others, how to lead and follow, how to make decisions, and so on.

Words

function 기능
development 발달, 성장
infancy 유아기
serve as ~의 역할을 하다
ground 토대
physical 신체의, 육체의
acquire 습득하다
trait (성격상의) 특성
adulthood 성인기
compete 경쟁하다
cooperate 협력하다
and so on 기타 등등

1 윗글의 ①~⑤ 중 주제문으로 가장 적절한 것은?

2 윗글의 주제로 가장 적절한 것은?

① necessity of trying out creative ideas

② roles of play in children's development

③ contrasts between adult and child play

④ effects of children's physical abilities on play

⑤ children's needs at various developmental stages

유형 핵심 정리 ❷

유형 2 │ 글의 제목

유형 분석

1. 제목은 글의 핵심 내용을 ❶⬚으로 표현한다.
2. 읽는 사람의 관심을 끌기 위해 강한 어구나 의문문, 또는 ❷⬚으로 표현되기도 한다.

❶ 함축적
❷ 명령문

출제 의도 ▶ 글의 제목을 추론한다.

문제 해결 전략

1. 선택지를 먼저 읽고 글의 내용을 미리 예측해 본다.
2. 글의 전개 방식과 연결어를 통해 글의 ❸⬚를 파악한다.
3. 핵심 어구와 핵심 내용을 바탕으로 제목을 적절히 표현한 선택지를 고른다.
4. 주제에 비해 제목은 간접적, ❹⬚ 표현으로도 제시되기 때문에 글의 핵심 내용을 포괄하고 있는지 확인해야 한다.

❸ 요지
❹ 비유적

예제 │ 다음 글의 제목으로 가장 적절한 것은? ✎고1 3월 응용

해설 3쪽

Think, for a moment, about something you bought that you never ended up using. An item of clothing you never ended up wearing? A book you never read? It is estimated that Australians alone spend on average $10.8 billion AUD (approximately $9.99 billion USD) every year on goods they do not use — more than the total government spending on universities and roads. That is an average of $1,250 AUD (approximately $1,156 USD) for each household. All the things we buy that then just sit there gathering dust are waste — a waste of money, a waste of time, and waste in the sense of pure rubbish.

① Spending Enables the Economy
② Money Management: Dos and Don'ts
③ Too Much Shopping: A Sign of Loneliness
④ 3R's of Waste: Reduce, Reuse, and Recycle
⑤ What You Buy Is Waste Unless You Use It

Words

end up -ing 결국 ~하다
estimate 추산하다
approximately 약, 대략
household 가구, 세대
gather 모으다
in the sense of ~이라는 의미에서
rubbish 쓸모없는 물건, 쓰레기

지문에 표시된 문장의 내용을 파악하면 글의 제목을 추론할 수 있어요.

[3~4] 다음 글을 읽고 물음에 답하시오. 고1 9월응용

The loss of many traditional jobs in everything from art to healthcare will partly be offset by the creation of new human jobs. Primary care doctors who focus on diagnosing known diseases and giving familiar treatments will probably be replaced by AI doctors. But precisely because of that, there will be much more money to pay human doctors and lab assistants to do groundbreaking research and develop new medicines or surgical procedures. AI might help create new human jobs in another way. Instead of humans competing with _____, they could focus on servicing and using _____. For example, the replacement of human pilots by drones has eliminated some jobs but created many new opportunities in maintenance, remote control, data analysis, and cyber security.

*offset: 상쇄하다

Words

traditional 적통적인
primary 기본적인, 주된
diagnose 진단하다
treatment 치료, 처치
precisely 정확히, 바로
assistant 조수
groundbreaking 획기적인
surgical 수술의, 외과의
compete with ~와 겨루다
eliminate 없애다, 제거하다
opportunity 기회
maintenance 정비

3 윗글의 빈칸에 공통으로 들어갈 말로 가장 적절한 것은?

① jobs
② lab assistants
③ new medicines
④ AI
⑤ pilots

4 윗글의 제목으로 가장 적절한 것은?

① What Makes Robots Smarter?
② Is AI Really a Threat to Your Job?
③ Watch Out! AI Can Read Your Mind
④ Future Jobs: Less Work, More Gains
⑤ Ongoing Challenges for AI Development

2일 적중 예상 베스트

다음 글의 주제로 가장 적절한 것은?

Like anything else involving effort, compassion takes practice. We have to work at getting into the habit of standing with others in their time of need. Sometimes offering help is a simple matter that does not take us far out of our way — remembering to speak a kind word to someone who is down. At other times, helping involves some real sacrifice. If we practice taking the many small opportunities to help others, we'll be in shape to act when those times requiring real, hard sacrifice come along.

① benefits of living with others in harmony
② effects of practice in speaking kindly
③ importance of practice to help others
④ means for helping people in trouble
⑤ difficulties with forming new habits

Words

compassion 연민
take practice 연습하다, 일상
적으로 행하다
get into the habit of ~하
는 습관을 기르다
sacrifice 희생

다음 글의 주제로 가장 적절한 것은?

You can say that information sits in one brain until it is communicated to another, unchanged in the conversation. That's true of *sheer* information. But it's not true of knowledge. Knowledge relies on judgements, which you discover and polish in conversation with other people or with yourself. Therefore you don't learn the details of your thinking until speaking or writing it out in detail and looking back critically at the result. In the speaking or writing, you uncover your bad ideas, and good ideas too. Thinking requires its expression.

① 말하거나 글을 써서 생각을 다듬는 것의 중요한 역할
② 당신의 생각을 사람들에게 전달하는 설득력 있는 방법
③ 당신의 글쓰기에 맞는 정보를 선택하기 위한 중요한 팁
④ 논리적 사고가 독해력에 미치는 긍정적인 영향
⑤ 구어와 문어 사이의 차이점

Words

sheer 순수한, 순전한
rely on ~에 의존하다
judgement 판단
polish 다듬다, 닦다
critically 비판적으로
uncover 알아내다

 개념 가이드

[   ]를 먼저 읽고 글의 내용을 미리 예측해 볼 수 있다.   🔒 선택지

대표 예제 3 고1 6월 응용

다음 글의 제목으로 가장 적절한 것은?

Researchers studied the effects of a genuine and forced smile on individuals during a stressful event. The researchers had participants perform stressful tasks while not smiling, smiling, or holding chopsticks crossways in their mouths (to force the face to form a smile). The results of the study showed that smiling, forced or genuine, during stressful events reduced the intensity of the stress response in the body and lowered heart rate levels after recovering from the stress.

① Causes and Effects of Stressful Events
② Personal Signs and Patterns of Stress
③ How Body and Brain React to Stress
④ Stress: Necessary Evil for Happiness
⑤ Do Faked Smiles Also Help Reduce Stress?

Words

genuine 진짜의
individual 개개의, 각각의
participant 참가자
perform 수행하다
task 과업, 일
intensity 강도, 강함
recover 회복하다

대표 예제 4 고1 3월 응용

다음 글의 제목으로 가장 적절한 것은?

Quality questions are one way that teachers can check students' understanding of the text. Questions can also promote students' search for evidence and their need to return to the text to deepen their understanding. Teachers take an active role in developing and deepening students' comprehension by asking questions that cause them to read the text again, resulting in multiple readings of the same text. In other words, these text-based questions provide students with a purpose for rereading, which is critical for understanding complex texts.

① Too Much Homework Is Harmful
② Questioning for Better Comprehension
③ Too Many Tests Make Students Tired
④ Questions That Science Can't Answer Yet
⑤ There Is Not Always Just One Right Answer

Words

quality 양질의
promote 촉진하다
evidence 증거
role 역할
comprehension 이해
result in 결국 ~하게 되다
multiple 여러 번의
purpose 목적
critical 중요한

개념 가이드

선택지를 먼저 읽고 글의 내용을 예측한 후, 글의 전개 방식과 [   ]를 통해 글의 요지를 파악하여 적절한 제목을 고른다.   🔑 연결어

3일 글의 목적 / 요약문 완성

> 휴... 이메일이 길어서 읽는 데 한참 걸렸네. 이메일을 쓴 목적은 영화를 보러 같이 가자는 거구나. 다음부터는 중요한 내용만 요약해서 써 주면 좋겠네.

안녕 윤지야~
이번 주말에 내가 보고 싶은 영화가 개봉한대. 빨리 주말이 됐으면 좋겠어.
내가 그 영화를 소개하는 기사를 봤는데, 내가 제일 좋아하는 배우가 나오는 액션 영화야.
이번 주말에 시간 되면 같이 보러 가자.
그리고 ~~~~~~~~~~~~~~~~~~~~~~~~~
그런데 ~~~~~~~~~~~~~~~~~~~~~~~~~
~~~~~~~~~~~~~~~~~~~~~~~~~~~~~~~

Quiz

1 편지글의 경우 보통 글의 〔 초반부 / 중반부 〕 부터 편지를 쓰게 된 목적을 설명하는 내용이 제시된다.

2 요약문을 완성할 때는 요약문의 내용이 글의 〔 주제 / 문제 〕 와 일치하는지 비교한다.

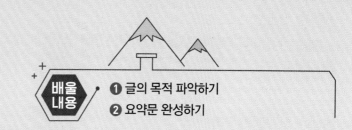
단어 미리 보기

☐ **assistance** *n.* 도움

☐ **conduct** *v.* 하다, 행동하다

☐ **construction** *n.* 공사

☐ **disability** *n.* 장애

☐ **donate** *v.* 기부하다

☐ **faulty** *a.* 고장 난, 결함이 있는

☐ **funeral** *n.* 장례식

☐ **grab** *v.* 쥐다

☐ **hesitate** *v.* 주저하다

hesitate

☐ **instrument** *n.* 도구, 악기

☐ **interpret** *v.* 해석하다, 이해하다

interpret

☐ **participant** *n.* 참가자

☐ **perform** *v.* 행하다

☐ **permission** *n.* 허가, 허락

☐ **present** *a.* 있는, 존재하는

☐ **procedure** *n.* 절차

procedure

☐ **quality** *n.* 질

quality

☐ **receipt** *n.* 영수증

☐ **relationship** *n.* 관계

☐ **report** *v.* 말하다, 전하다

☐ **resemblance** *n.* 유사(성)

☐ **seek** *v.* 추구하다, 찾다

seek

☐ **successfully** *ad.* 성공적으로

☐ **associate ~ with ...** ~를 …와 연관시키다

☐ **on behalf of** ~를 대표해서

☐ **opposed to** ~에 반대하는

3일 유형 핵심 정리 ❶

유형 1 글의 목적

유형 분석

1. 글쓴이가 글을 쓴 **❶** 를 파악하는 유형이다.

    ❶ 의도

2. 주로 **❷** , 안내문, 광고문 등 일상생활에서 많이 접할 수 있는 실용문이 많다.

    ❷ 편지글

출제 의도 ◁ 글의 목적을 추론한다.

문제 해결 전략

1. 글의 도입부에서 누가 누구에게 쓰는 글인지, 무엇에 관해 쓰고 있는지 파악한다.

2. 보통 글의 중반부부터 편지를 쓰게 된 동기를 설명하는 내용이 제시되고, 광고글의 경우 광고의 내용이 구체적으로 설명된다.

3. 글의 **❸** 부분에는 편지를 쓴 이유를 다시 한 번 확인하고, 광고글에서는 연락처나 기한 등을 안내하고 구매를 한 번 더 강조한다.

    ❸ 결론

예제 다음 글의 목적으로 가장 적절한 것은? ✎ 고1 3월 응용

해설 5쪽

Dear members of Eastwood Library,

Thanks to the Friends of Literature group, we've successfully raised enough money to remodel the library building. John Baker, our local builder, has volunteered to help us with the remodelling but he needs assistance. By grabbing a hammer or a paint brush and <u>donating your time, you can help with the construction.</u> Join Mr. Baker in his volunteering team and become a part of making Eastwood Library a better place! Please call 541-567-1234 for more information.

Sincerely,

Mark Anderson

Words

successfully 성공적으로
raise (자금 등을) 모으다
builder 건축업자
assistance 도움
grab 쥐다
donate 기부하다
construction 공사

① 도서관 임시 휴관의 이유를 설명하려고

② 도서관 자원봉사자 교육 일정을 안내하려고

③ 도서관 보수를 위한 모금 행사를 제안하려고

④ 도서관 공사에 참여할 자원봉사자를 모집하려고

⑤ 도서관에서 개최하는 글쓰기 대회를 홍보하려고

편지글 중반부 이후에 표시된 부분의 내용을 파악하면 편지를 쓴 목적을 알 수 있어요.

정답과 해설 5쪽

[1-2] 다음 글을 읽고 물음에 답하시오. 🖉 고1 9월 응용

Dear Wildwood residents,

①Wildwood Academy is a local school that seeks to help children with disabilities and learning challenges. ②This year we'd like to add a music class in the hope that each of our students will have the opportunity to develop their musical abilities. ③To get the class started, we need more instruments than we have now. ④We are asking you to look around your house and donate any instruments that you may no longer use. ⑤Simply call us and we will be happy to drop by and pick up the instrument.

Sincerely,

Karen Hansen, Principal

Words

local 지역의
seek 추구하다, 찾다
disability 장애
challenge 도전, 저항
opportunity 기회
instrument 도구, 악기
no longer 더 이상 ~ 않는

3일

1 윗글에서 글쓴이가 요청하는 내용이 가장 잘 드러난 문장은?

2 윗글의 목적으로 가장 적절한 것은?

① 고장 난 악기의 수리를 의뢰하려고
② 학부모 공개 수업 참석을 권장하려고
③ 음악 수업을 위한 악기 기부를 요청하려고
④ 추가로 개설된 음악 수업 신청을 독려하려고
⑤ 지역 주민을 위한 자선 음악 행사를 홍보하려고

3일  유형 핵심 정리 ❷

유형 2 | 요약문 완성

유형 분석

1. 글 전체의 내용을 요약하는 문장의 빈칸에 들어갈 말을 추론하는 유형이다.

2. 두 개의 빈칸이 제시되는데, 빈칸에는 글의 ❶〔　　　〕나 핵심 내용과 관련된 어구가 들어간다.

❶ 핵심어

글의 요약문을 완성한다.

출제 의도

문제 해결 전략

1. 먼저 ❷〔　　　〕과 선택지를 읽고, 글의 전반적인 흐름을 파악한다.

　• 선택지로 제시된 어휘는 본문의 핵심어와 동의어이거나 ❸〔　　　〕인 경우가 많다.

2. 글에서 반복되는 어휘나 어구, 그리고 ❹〔　　　〕을 찾아본다.

3. 선택지의 어구를 넣어 요약문을 완성한 후, 글의 내용을 포괄적으로 다루는지 확인한다.

❷ 요약문
❸ 반의어
❹ 주제문

예제 | 다음 글의 내용을 한 문장으로 요약하고자 한다. 빈칸 (A), (B)에 들어갈 말로 가장 적절한 것은? ✎ 고1 3월 응용

해설 5쪽

In one study, researchers asked pairs of strangers to sit down in a room and chat. In half of the rooms, a cell phone was placed on a nearby table; in the other half, no phone was present. After the conversations had ended, the researchers asked the participants what they thought of each other. Here's what they learned: when a cell phone was present in the room, the participants reported the quality of their relationship was worse than those who'd talked in a cell phone-free room. The pairs who talked in the rooms with cell phones thought their partners showed less empathy. *empathy: 공감

Words

pair 짝
stranger 모르는 사람, 낯선 사람
chat 이야기를 나누다
place 놓다, 두다
nearby 근처의
present 있는, 존재하는
participant 참가자
report 말하다, 전하다
quality 질
relationship 관계
presence 존재
connection 관계, 연결

The presence of a cell phone ___(A)___ the connection between people involved in conversations, even when the phone is being ___(B)___.

(A)	(B)	(A)	(B)
① weakens	— answered	② weakens	— ignored
③ renews	— answered	④ maintains	— ignored
⑤ maintains	— updated		

지문에 표시된 문장과 요약문의 내용을 잘 비교해 보세요.

[3-4] 다음 글을 읽고 물음에 답하시오. 🖉고1 9월 응용

One way that music could express emotion is simply through a learned association. Maybe we have just come to hear certain kinds of music as sad because we have learned to associate them in our culture with sad events like funerals. If this view is correct, we should have difficulty interpreting the emotions expressed in culturally (A) | familiar / unfamiliar | music. Totally opposed to this view is the position that the link between music and emotion is one of resemblance. For example, when we feel sad we move slowly and speak slowly and in a low-pitched voice. Thus when we hear slow, low music, we hear it as (B) | sad / happy |. If this view is correct, we should have little difficulty understanding the emotion expressed in culturally unfamiliar music.

Words

emotion 감정
association 연관, 연상
associate ~ with .... ~를 …
와 연관시키다
funeral 장례식
interpret 해석하다, 이해하다
opposed to ~에 반대하는
resemblance 유사(성)

3일

3 윗글의 각 네모 안에서 문맥상 적절한 낱말을 고르시오.

(A) _____   (B) _____

4 윗글의 내용을 한 문장으로 요약하고자 한다. 빈칸 (A), (B)에 들어갈 말로 가장 적절한 것은?

It is believed that emotion expressed in music can be understood through a(n) __(A)__ learned association or it can be understood due to the __(B)__ between music and emotion.

      (A)   (B)
① culturally   —   similarity
② culturally   —   balance
③ socially   —   difference
④ incorrectly   —   connection
⑤ incorrectly   —   contrast

3 적중 예상 베스트

Words

on behalf of ~를 대표해서
permission 허가, 허락
conduct 하다, 행동하다
field trip 현장 견학
in regard to ~와 관련하여
procedure 절차
blessing 승인
cooperation 협조, 협력

다음 글의 목적으로 가장 적절한 것은?

Dear Mr. Anderson,

　On behalf of Jeperson High School, I am writing this letter to request permission to conduct an industrial field trip in your factory. We hope to give some practical education to our students in regard to industrial procedures. With this purpose in mind, we believe your firm is ideal to carry out such a project. But of course, we need your blessing and support. I would really appreciate your cooperation.

① 공장 견학 허가를 요청하려고
② 단체 연수 계획을 공지하려고
③ 입사 방법을 문의하려고
④ 출장 신청 절차를 확인하려고
⑤ 공장 안전 점검 계획을 통지하려고

Words

complain 불평하다
replace ~ with ... ~을 …으로 교환[교체]하다
faulty 고장 난, 결함이 있는
receipt 영수증
dealer 판매인
on the spot 그 자리에서 바로, 즉석에서
hesitate 주저하다

다음 글의 목적으로 가장 적절한 것은?

Dear Ms. Spadler,

　You've written to our company complaining that your toaster, which you bought only three weeks earlier, doesn't work. Since the toaster has a year's warranty, our company is happy to replace your faulty toaster with a new toaster. To get your new toaster, simply take your receipt and the faulty toaster to the dealer from whom you bought it. The dealer will give you a new toaster on the spot. If there is anything else we can do for you, please do not hesitate to ask.　*warranty: 품질 보증(서)

① 새로 출시한 제품을 홍보하려고
② 흔히 생기는 고장 사례를 알려주려고
③ 품질 보증서 보관의 중요성을 강조하려고
④ 고장 난 제품을 교환하는 방법을 안내하려고
⑤ 제품 만족도 조사에 참여해줄 것을 요청하려고

개념 가이드

먼저 누가 누구에게 쓰는 글인지, 무엇에 관해 쓰고 있는지 파악한다. 보통 글의 중반부부터 편지를 쓰게 된 ⬜ 를 설명하는 내용이 제시된다.　🔲 동기

대표 예제 3 ✎ 고1 6월 응용

다음 글의 내용을 한 문장으로 요약하고자 한다. 빈칸 (A), (B)에 들어갈 말로 가장 적절한 것은?

A poor coach will tell you what you did wrong and then tell you not to do it again: "Don't drop the ball!" What happens next? The images you see in your head are images of you dropping the ball! Naturally, your mind recreates what it just "saw" based on what it's been told. Not surprisingly, you walk on the court and drop the ball. What does the good coach do? He or she points out what could be improved, but will then tell you how you could or should perform: "I know you'll catch the ball perfectly this time." Sure enough, the next image in your mind is you *catching* the ball and *scoring* a goal. Once again, your mind makes your last thoughts part of reality — but this time, that "reality" is positive, not negative.

⬇

Unlike ineffective coaches, who focus on players' __(A)__ , effective coaches help players improve by encouraging them to __(B)__ successful plays.

	(A)		(B)
①	scores	—	complete
②	scores	—	remember
③	mistakes	—	picture
④	mistakes	—	ignore
⑤	strengths	—	achieve

Words

recreate 재현하다
based on ~을 바탕으로
surprisingly 놀랍게도
point out 지적하다
improve 개선하다, 향상시키다
perform 행하다
positive 긍정적인
negative 부정적인

3일

 개념 가이드

먼저 요약문과 선택지를 읽고 글의 전반적인 흐름을 파악한다. 선택지로 제시된 어휘는 본문의 핵심어와 🔁 동의어, 반의어 ▢▢▢▢ 이거나 ▢▢▢▢ 인 경우가 많다.

4일 연결어 / 무관한 문장

윤호야, 안녕

나 지훈이야. 어제 약속에 늦어서 정말 미안해.

어제 내가 집에서 나가려고 하는데 동생이 수학 문제를 물어

보더라고. 하지만 문제를 설명해 주느라 늦었어.

게다가 콘서트가 시작하기 전에 도착해서 다행이었지.

다음부터는 늦지 않도록 할게. 그러니까 다음에 또 콘서트에

같이 가자.

－ 지훈이가

내용 연결이 뭔가 좀 이상한데...

Quiz

1 위 편지 글의 넷째 줄에 쓰인 '하지만'은 | 그러나 / 그래서 | 로 고치는 것이 자연스럽다.

2 위 편지 글의 다섯째 줄에 쓰인 '게다가'는 | 그렇지만 / 그 결과로 | (으)로 고치는 것이 자연스럽다.

답 **1** 그래서 **2** 그렇지만

단어 미리 보기

check~

☐ **adopt** *v.* 채택하다

☐ **assume** *v.* 가정하다

☐ **audience** *n.* 청중

☐ **commit** *v.* 헌신하다, 전념하다

☐ **compel** *v.* 강요하다

☐ **connection** *n.* 관계

☐ **considerable** *a.* 상당한, 많은

☐ **constant** *a.* 끊임없는, 지속적인

☐ **consumption** *n.* 소비

☐ **contribution** *n.* 기부금

☐ **cooperation** *n.* 협조, 협력

☐ **desire** *n.* 욕구

☐ **diversity** *n.* 다양성

☐ **expend** *v.* (시간·에너지를) 쏟다, 들이다

☐ **exposure** *n.* 노출, 매스컴 출연

☐ **extraordinary** *a.* 특별한

☐ **indicate** *v.* 보여 주다, 나타내다

☐ **inevitable** *a.* 불가피한

☐ **nonverbal** *a.* 비언어적인

☐ **outcome** *n.* 결과

☐ **policy** *n.* 정책, 방침

☐ **precisely** *ad.* 정확히, 바로

☐ **reflect** *v.* 나타내다, 반영하다

☐ **stable** *a.* 안정된

☐ **urge** *n.* 충동, 욕구

☐ **prevent ~ from ...** ~가 …을 하지 못하도록 막다

4일 유형 핵심 정리 ❶

유형 분석

1. 글의 중간에 있는 빈칸에 들어가 글의 흐름을 자연스럽게 이어주는 [❶]를 찾는 유형 이다.   ❶ 연결어

2. 주로 역접/대조, 결론/인과, 예시를 나타내는 연결어를 묻는 문제가 자주 출제된다.

출제 의도

글의 빈칸에 알맞은 연결어를 추론한다.

문제 해결 전략

1. 도입부에서 글의 핵심 소재 및 주요 내용을 파악한다.

2. 글을 읽으며 빈칸 앞뒤 내용의 논리적 관계를 파악한다.

3. 선택지의 연결어를 넣어 글의 흐름이 자연스러운지 확인한다.

- 역접/대조: [❷], on the other hand, nevertheless, on the contrary, in[by] contrast 등   ❷ however

- 결론/인과: [❸], as a result, thus, in consequence, hence 등   ❸ therefore

- 예시: for example, for instance 등

- 첨가: in addition, moreover, furthermore 등

- 비교: similarly, likewise 등

예제 다음 글의 빈칸에 들어갈 말로 가장 적절한 것은? ✐ 고1 3월 응용   해설 6쪽

In small towns the same workman makes chairs and doors and tables, and often the same person builds houses. And it is, of course, impossible for a man of many trades to be skilled in all of them. In large cities, _____, because many people make demands on each trade, one trade alone is enough to support a man. For instance, one man makes shoes for men, and another for women. And there are places even where one man earns a living by only stitching shoes, another by cutting them out, and another by sewing the uppers together.

*trade: 직종

① as a result   ② in consequence

③ in addition   ④ for example

⑤ on the other hand

Words

make demands on ~을 필요로 하다, ~을 요구하다
support 부양하다, 먹여 살리다
place 경우
earn a living 생계를 꾸리다
stitch 바느질하다, 꿰매어 꾸미다
sew ~ together ~을 꿰매 붙이다
uppers (신발의) 윗부분

빈칸 앞뒤 내용의 논리적 관계를 파악하기 위해 밑줄 친 두 문장을 비교해 보세요.

[1-2] 다음 글을 읽고 물음에 답하시오. 고1 6월 응용

When we compare human and animal desire we find many extraordinary differences. Animals tend to eat with their stomachs, and humans with their brains. When animals' stomachs are full, they stop eating, but humans are never sure when to stop. When they have eaten as much as their bellies can take, they still feel empty, they still feel an urge for further gratification. This is largely due to anxiety, to the knowledge that a constant supply of food is uncertain. _____, they eat as much as possible while they can.

*gratification: 만족감

Words

compare 비교하다
desire 욕구
extraordinary 특별한
belly 배
urge 충동, 욕구
anxiety 두려움
constant 끊임없는, 지속적인

1 윗글에서 서로 대응되는 말을 찾아 빈칸에 쓰시오.

animal : human = stomach : _____

2 윗글의 빈칸에 들어갈 말로 가장 적절한 것은?

① However
② Therefore
③ In addition
④ Moreover
⑤ Nevertheless

유형 분석

1. 어떤 소재에 대해 일관되게 설명하는 있는 글에서 전체 흐름이나 **❶**[_____]에서 벗어나는 한 문장을 고르는 유형이다.

❶ 주제

글의 흐름과 무관한 문장을 파악한다.

출제 의도

문제 해결 전략

1. 글의 도입부에서 글의 소재 또는 주제를 파악한다. **❷**[_____]이 주제문이거나 글의 소재를 소개하므로 주의 깊게 본다.

❷ 첫 문장

2. 선택지의 내용을 차례대로 읽으면서 글의 주제와 같은 맥락인지 파악한다.

3. 무관한 문장을 제외하고 글을 읽으며 글의 흐름이 자연스러운지 확인한다.

예제 | 다음 글에서 전체 흐름과 관계 없는 문장은? ✎ 고1 3월 응용

해설 7쪽

Today's music business has allowed musicians to take matters into their own hands. ①Gone are the days of musicians waiting for a gatekeeper (someone who holds power and prevents you from being let in) at a label or TV show to say they are worthy of the spotlight. ②In today's music business, you don't need to ask for permission to build a fanbase. ③There are rising concerns over the marketing of child musicians using TV auditions. ④Every day, musicians are getting their music out to thousands of listeners without any outside help. ⑤They simply deliver it to the fans directly, without asking for permission or outside help to receive exposure or connect with thousands of listeners.

Words

prevent ~ from ... ~가 …하지 못하도록 막다
let in ~을 들여보내다
label 음반사
concern 우려, 염려
deliver 전달하다, 배달하다
exposure 노출, 매스컴 출연

주제문인 첫 문장의 내용과 관계 없는 문장을 찾으세요.

정답과 해설 7쪽

[3-4] 다음 글을 읽고 물음에 답하시오. 🖉 고1 3월응용

Public speaking is _____ centered because speakers "listen" to their audiences during speeches. They monitor audience feedback, the verbal and nonverbal signals an audience gives a speaker. ①Audience feedback often indicates whether listeners understand, have interest in, and are ready to accept the speaker's ideas. ②This feedback assists the speaker in many ways. ③It helps the speaker know when to slow down, explain something more carefully, or even tell the audience that she or he will return to an issue in a question-and-answer session at the close of the speech. ④It is important for the speaker to memorize his or her script to reduce on-stage anxiety. ⑤Audience feedback assists the speaker in creating a respectful connection with the audience. *verbal: 언어적인

Words
public speaking 대중 연설
audience 청중
monitor 주시하다
nonverbal 비언어적인
indicate 보여 주다, 나타내다
accept 받아들이다
assist 돕다
respectful 존중하는
connection 관계

4일

3 윗글의 빈칸에 들어갈 말로 가장 적절한 것은?

① speaker　　　　　② assistant
③ question　　　　　④ script
⑤ audience

4 윗글에서 전체 흐름과 관계 <u>없는</u> 문장은?

4 일 적중 예상 베스트

다음 글의 빈칸에 들어갈 말로 가장 적절한 것은?

One outcome of motivation is behavior that takes considerable effort. For example, if you are motivated to buy a good car, you will research vehicles online, look at ads, visit dealerships, and so on. Motivation not only drives the final behaviors that bring a goal closer but also creates willingness to expend time and energy on preparatory behaviors. _____, someone motivated to buy a new smartphone may earn extra money for it, drive through a storm to reach the store, and then wait in line to buy it.

*preparatory: 준비의

① Thus
② However
③ Moreover
④ In contrast
⑤ Nevertheless

Words

outcome 결과
motivation 동기 부여
behavior 행동
considerable 상당한, 많은
dealership 대리점
expend (시간·에너지를) 쏟다, 들이다

다음 글의 빈칸에 들어갈 말로 가장 적절한 것은?

Since our hotel was opened in 1976, we have been committed to protecting our planet by reducing our energy consumption and waste. In an effort to save the planet, we have adopted a new policy and we need your help. If you hang the Eco-card at the door, we will not change your sheets, pillow cases, and pajamas. _____, we will leave the cups untouched unless they need to be cleaned. In return for your cooperation, we will make a contribution on your behalf to the National Forest Restoration Project. We appreciate your cooperation on our eco-friendly policy.

① Therefore
② However
③ For example
④ In addition
⑤ On the other hand

Words

commit 헌신하다, 전념하다
protect 보호하다
consumption 소비
adopt 채택하다
policy 정책, 방침
cooperation 협조, 협력
contribution 기부금

개념 가이드

도입부에서 글의 핵심 소재 및 주요 내용을 파악한 뒤, 글을 읽으며 빈칸 앞뒤 내용의 [____]를 파악한다. 역접/대조, 결론/인과, 예시, [____] 등을 나타내는 연결어를 잘 알아둔다.

답 논리적 관계, 첨가

대표 예제 3 🖉 고1 3월 응용

다음 글에서 전체 흐름과 관계 <u>없는</u> 문장은?

Paying attention to some people and not others doesn't mean you're being dismissive or arrogant. ① It just reflects a hard fact: there are limits on the number of people we can possibly pay attention to or develop a relationship with. ② Some scientists even believe that the number of people with whom we can continue stable social relationships might be limited naturally by our brains. ③ The more people you know of different backgrounds, the more colorful your life becomes. ④ Professor Robin Dunbar has explained that our minds are only really capable of forming meaningful relationships with a maximum of about a hundred and fifty people. ⑤ Whether that's true or not, it's safe to assume that we can't be real friends with everyone.   *dismissive: 무시하는 **arrogant: 거만한

Words

pay attention to ~에 주의를 기울이다
reflect 나타내다, 반영하다
hard fact 명백한 사실
limit 한계; 제한하다
relationship 관계
stable 안정된
be capable of ~을 할 수 있다
maximum 최대, 최고
assume 가정하다

4일

대표 예제 4 🖉 고1 9월 응용

다음 글에서 전체 흐름과 관계 <u>없는</u> 문장은?

Many of us live our lives without examining why we habitually do what we do and think what we think. Why do we spend so much of each day working? Why do we save up our money? ① If pressed to answer such questions, we may respond by saying "because that's what people like us do." ② But there is nothing natural, necessary, or inevitable about any of these things; instead, we behave like this because the culture we belong to compels us to. ③ As we try to find answers to the questions of cultural diversity, we realize that cultures are not about being right or wrong. ④ The culture that we inhabit shapes how we think, feel, and act in the most pervasive ways. ⑤ It is not in spite of our culture that we are who we are, but precisely because of it.   *pervasive: 널리 스며있는

Words

examine 검토하다, 조사하다
habitually 습관적으로
respond 대답하다
inevitable 불가피한
compel 강요하다
diversity 다양성
inhabit 살다
in spite of ~에도 불구하고
precisely 정확히, 바로

개념 가이드

글의 [   ]에 글의 소재나 주제가 소개되므로 주의 깊게 살펴야 한다. 선택지의 내용을 차례대로 읽으면서
글의 [   ]와 같은 맥락인지 파악한다.

답 도입부, 주제

5 일 문장의 위치 / 글의 순서

그는 물을 마시다가 물속에 비친 자신의 모습을 보고 사랑에 빠지게 된다.

그가 죽은 후, 그 자리에는 노란 수선화가 피었다.

물속에 비친 자신의 모습과 사랑에 빠진 나르시스는 결국 물속으로 들어가 숨을 거두고 말았다.

나르시스는 신의 저주를 받아 평생 어느 누구도 사랑하지 못하게 되었다.

책이 찢어져서 순서가 엉망이 됐네...

Quiz

1 글의 순서를 정할 때는 앞뒤의 내용을 연결하는 [소재 / 단서]를 찾는다.

2 위 이야기의 내용을 순서대로 배열하여 번호를 매겨 보세요.

답 **1** 단서 **2** 2, 4, 3, 1

단어 미리 보기

check~

- [ ] ancient *a.* 고대의
  ancient

- [ ] appropriate *a.* 적절한

- [ ] astronaut *n.* 우주 비행사

- [ ] attention *n.* 집중, 주목

- [ ] brief *a.* 짧은

- [ ] clue *n.* 단서

- [ ] composition *n.* 구성 성분

- [ ] consistent *a.* 일관된, 한결같은

- [ ] correct *a.* 적절한, 올바른
  correct

- [ ] disclose *v.* 드러내다, 노출시키다

- [ ] emphasize *v.* 강조하다

- [ ] environment *n.* 환경
  environment

- [ ] exploration *n.* 탐험

- [ ] guilt *n.* 죄책감
  guilt

- [ ] hollow *a.* 속이 빈

- [ ] muscle *n.* 근육
  muscle

- [ ] obstacle *n.* 장애물

- [ ] planet *n.* 행성

- [ ] properly *ad.* 적절히

- [ ] purchase *v.* 구입하다, 구매하다

- [ ] rubber *n.* 고무

- [ ] stiff *a.* 딱딱한

- [ ] supply *n.* 물자; 공급
  Supply

- [ ] survival *n.* 생존

- [ ] tendency *n.* 경향, 성향

- [ ] unfavorable *a.* 불리한, 형편이 나쁜

【유형 분석】

1. 문장들 간의 ❶ [   ]을 파악하여 글 속에 주어진 문장이 들어갈 위치를 찾는 유형이다.

❶ 연결성

문장의 위치를 파악한다.

출제 의도

【문제 해결 전략】

1. 주어진 문장을 먼저 읽고 내용을 파악한다.
   • 문장 속의 ❷ [   ]나 지칭어구, 연결어구 등에 주목한다.

❷ 대명사

2. 글을 읽으며 내용의 흐름이 끊어지거나 논리적 비약이 일어나는 곳을 찾는다.
3. 정답을 고른 후, 주어진 문장을 넣어 글을 다시 읽으며 흐름이 자연스러운지 확인한다.

【예제】 글의 흐름으로 보아, 주어진 문장이 들어가기에 가장 적절한 곳은? ✎고1 3월 응용

해설 8쪽

Before a trip, research how <u>the native inhabitants</u> dress, work, and eat.

The continued survival of the human race can be explained by our ability to adapt to our environment. (①) While we may have lost some of our ancient ancestors' survival skills, we have learned new skills as they have become necessary. (②) Today, the gap between the skills we once had and the skills we now have grows ever wider as we rely more heavily on modern technology. (③) Therefore, <u>when you head off into the wilderness, it is important to fully prepare for the environment.</u> (④) How <u>they</u> have adapted to their way of life will help you to understand the environment and allow you to select the best gear and learn the correct skills. (⑤)

*inhabitant: 주민

Words

native 토착의, 지방 고유의
survival 생존
adapt 적응하다
environment 환경
ancient 고대의
ancestor 조상
rely on ~에 의존하다
head off ~로 향하다
gear 장비
correct 적절한, 올바른

지문에 표시된 단서를 보면 주어진 문장이 들어갈 위치를 알 수 있어요.

정답과 해설 8쪽

5일

[1-2] 다음 글을 읽고 물음에 답하시오. 고1 6월 응용

Currently, we cannot send humans to other planets. One obstacle is that such a trip would take years. (①) A spacecraft would need to carry enough air, water, and other supplies needed for survival on the long journey. (②) Another obstacle is the harsh conditions on other planets, such as extreme heat and cold. (③) Some planets do not even have surfaces to land on. (④) These explorations pose no risk to human life and are less expensive than ones involving astronauts. (⑤) The spacecraft carry instruments that test the compositions and characteristics of planets.

*composition: 구성 성분

Words

planet 행성
obstacle 장애물
spacecraft 우주선
supply 물자; 공급
harsh 극심한
surface 표면, 지면
exploration 탐험
pose (위험을) 제기하다
astronaut 우주 비행사
accomplish 이루다
aboard 탑승하여

1 윗글의 흐름으로 보아, 주어진 문장이 들어가기에 가장 적절한 곳은?

Because of these obstacles, most research missions in space are accomplished through the use of spacecraft without crews aboard.

2 윗글의 내용과 일치하지 <u>않는</u> 것은?

① 현재 우리는 인간을 다른 행성에 보낼 수 없다.
② 다른 행성으로 여행하는 데는 수년이 걸릴 것이다.
③ 혹독한 기상 조건 때문에 다른 행성으로 여행하는 것은 어렵다.
④ 우주선에는 사람 대신 동물이 탑승하는 경우가 많다.
⑤ 우주선은 행성의 구성 성분과 특성을 실험하는 기구들을 운반한다.

5일 유형 핵심 정리 ②

유형2 │ 글의 순서

유형 분석

1. 주어진 글 다음에 이어질 글의 ❶ [   ]를 배열하여 한 편의 글이 되도록 완성하는 유형이다.   ❶ 순서

2. 주어진 글의 각 단락 ❷ [   ]에는 글의 순서를 알려주는 지시어나 연결어가 있을 수 있다.   ❷ 앞부분

출제 의도 ◁ 글의 순서를 파악한다.

문제 해결 전략

1. 주어진 글을 먼저 읽고 글의 ❸ [   ]와 핵심 내용을 파악한다.   ❸ 소재

2. (A), (B), (C) 단락을 차례대로 읽으며 앞뒤를 연결하는 ❹ [   ]를 찾는다.   ❹ 단서

3. 글의 순서를 정한 후, 글의 흐름이 자연스러운지 다시 한 번 읽으면서 확인한다.

예제 │ 주어진 글 다음에 이어질 글의 순서로 가장 적절한 것은? ✐ 고1 3월   해설 8쪽

> Almost all major sporting activities are played with a ball.

(A) A ball might have the correct size and weight but if it is made as a hollow ball of steel it will be too stiff and if it is made from light foam rubber with a heavy center it will be too soft.

(B) The rules of the game always include rules about the type of ball that is allowed, starting with the size and weight of the ball. The ball must also have a certain stiffness.

(C) Similarly, along with stiffness, a ball needs to bounce properly. A solid rubber ball would be too bouncy for most sports, and a solid ball made of clay would not bounce at all.

*stiffness: 단단함

① (A) – (C) – (B)
② (B) – (A) – (C)
③ (B) – (C) – (A)
④ (C) – (A) – (B)
⑤ (C) – (B) – (A)

Words

hollow 속이 빈
stiff 딱딱한
foam rubber 발포 고무
include 포함하다
certain 특정한, 어떤
bounce 튀다
properly 적절히
solid 순수한(다른 물질이 섞이지 않은), 고체의
rubber 고무
bouncy 잘 튀는

각 단락에 표시된 단서를 통해 글의 순서를 정할 수 있어요.

5일

[3-4] 다음 글을 읽고 물음에 답하시오. ✐고1 3월 응용

Ideas about how much disclosure is appropriate vary among cultures.

(A) On the other hand, Japanese tend to do little disclosing about themselves to others except to the few people with whom they are very close. In general, Asians do not reach out to strangers.

(B) Those born in the United States tend to be high disclosers, even showing a willingness to disclose information about themselves to strangers. This may explain why Americans seem particularly easy to meet and are good at cocktail-party conversation.

(C) They do, however, show great care for each other, _____ they view harmony as essential to relationship improvement. They work hard to prevent those they view as outsiders from getting information they believe to be unfavorable.

*disclosure: (정보의) 공개

Words

appropriate 적절한
tend to ~하는 경향이 있다
disclose 드러내다, 노출시키다
in general 일반적으로
reach out to ~에게 관심을 내보이다
willingness 기꺼이 하려는 의향[마음]
view ~ as ... ~을 ...이라고 간주하다
essential 필수적인
unfavorable 불리한, 형편이 나쁜

3 윗글 다음에 이어질 글의 순서로 가장 적절한 것은?

① (A) – (C) – (B)   ② (B) – (A) – (C)
③ (B) – (C) – (A)   ④ (C) – (A) – (B)
⑤ (C) – (B) – (A)

4 윗글의 빈칸에 들어갈 말로 적절한 것을 <u>모두</u> 고르면?

① though   ② since
③ because   ④ if
⑤ when

5일 적중 예상 베스트

대표 예제 1 ✏️ 고1 9월

다음 글의 흐름으로 보아, 주어진 문장이 들어가기에 가장 적절한 곳은?

The other main clue you might use to tell what a friend is feeling would be to look at his or her facial expression.

Have you ever thought about how you can tell what somebody else is feeling? (①) Sometimes, friends might tell you that they are feeling happy or sad but, even if they do not tell you, I am sure that you would be able to make a good guess about what kind of mood they are in. (②) You might get a clue from the tone of voice that they use. (③) For example, they may raise their voice if they are angry or talk in a shaky way if they are scared. (④) We have lots of muscles in our faces which enable us to move our face into lots of different positions. (⑤) This happens spontaneously when we feel a particular emotion.

Words

clue 단서
facial expression 얼굴 표정
shaky 떨리는
muscle 근육
spontaneously 자발적으로, 자연스럽게
particular 특정한

대표 예제 2 ✏️ 고1 11월

다음 글의 흐름으로 보아, 주어진 문장이 들어가기에 가장 적절한 곳은?

The stage director must gain the audience's attention and direct their eyes to a particular spot or actor.

Achieving focus in a movie is easy. Directors can simply point the camera at whatever they want the audience to look at. (①) Close-ups and slow camera shots can emphasize a killer's hand or a character's brief glance of guilt. (②) On stage, focus is much more difficult because the audience is free to look wherever they like. (③) This can be done through lighting, costumes, scenery, voice, and movements. (④) Focus can be gained by simply putting a spotlight on one actor, by having one actor in red and everyone else in gray, or by having one actor move while the others remain still. (⑤) All these techniques will quickly draw the audience's attention to the actor whom the director wants to be in focus.

Words

stage director 무대 감독
attention 집중, 주목
spot 장소
achieve 성취하다, 얻다
emphasize 강조하다
brief 짧은
glance 흘깃 봄
guilt 죄책감
costume 의상
scenery 배경, 무대 장치

개념 가이드

주어진 문장을 먼저 읽고 내용을 파악하는데, 이때 문장 속의 [   ], 지칭어구, 연결어구 등을 주의 깊게 살핀다.   🅰 대명사

대표 예제 3 🖊 고1 11월

주어진 글 다음에 이어질 글의 순서로 가장 적절한 것은?

Making a small request that people will accept will naturally increase the chances of their accepting a bigger request afterwards.

(A) After this, the salesperson asks you if you are interested in buying any cruelty-free cosmetics from their store. Given the fact that most people agree to the prior request to sign the petition, they will be more likely to purchase the cosmetics.

(B) For instance, a salesperson might request you to sign a petition to prevent cruelty against animals. This is a very small request, and most people will do what the salesperson asks.

(C) They make such purchases because the salesperson takes advantage of a human tendency to be consistent in their words and actions. People want to be consistent and will keep saying yes if they have already said it once.

*petition: 청원서

① (A) – (C) – (B)
② (B) – (A) – (C)
③ (B) – (C) – (A)
④ (C) – (A) – (B)
⑤ (C) – (B) – (A)

Words

request 요구
increase 증가시키다
cruelty-free 동물 실험을 거치지 않고 개발된
cosmetics 화장품
prior 이전의, 앞의
purchase 구매하다
prevent 막다
cruelty 잔인함, 학대
tendency 경향, 성향
take advantage of ~을 이용하다
consistent 일관된, 한결같은

 개념 가이드

주어진 글을 먼저 읽고 소재와 핵심 내용을 파악한다. (A), (B), (C) 단락을 차례대로 읽으며 앞뒤를 연결하는 ☐를 찾는다. 🔖 단서

고1 3월 응용

[1 ~ 2] 다음 글을 읽고 물음에 답하시오.

While some sand is formed in oceans from things like shells and rocks, most sand is made up of tiny bits of rock that came all the way from the mountains! But that trip can take thousands of years. Glaciers, wind, and flowing water help move the rocky bits along, with the tiny travelers getting smaller and smaller as they go. If they're lucky, a river may give them a lift all the way to the coast. There, they can spend the rest of their years on the beach as sand.

1 윗글의 밑줄 친 tiny travelers가 가리키는 것으로 가장 적절한 것은?

① shells ② sand

③ glaciers ④ wind

⑤ rocky bits

2 윗글의 주제로 가장 적절한 것은?

① things to cause the travel of water

② factors to determine the size of sand

③ how most sand on the beach is formed

④ many uses of sand in various industries

⑤ why sand is disappearing from the beach

고1 3월 응용

[3 ~ 4] 다음 글을 읽고 물음에 답하시오.

Dear Ms. Sue Jones,

As you know, it is our company's policy that all new employees must gain experience in all departments. As you have completed your three months in the Sales Department, it's time to move on to your next department. From next week, you will be working in the Marketing Department. We are looking forward to seeing excellent work from you in your new department.

Yours sincerely,

Angie Young

PERSONNEL MANAGER

3 윗글에서 Ms. Jones가 다음 주에 일하게 될 부서로 가장 적절한 것은?

① 판매부 ② 홍보부

③ 인사부 ④ 마케팅부

⑤ 물품관리부

4 윗글의 목적으로 가장 적절한 것은?

① 근무 부서 이동을 통보하려고

② 희망 근무 부서를 조사하려고

③ 부서 간 업무 협조를 당부하려고

④ 새로운 마케팅 전략을 공모하려고

⑤ 직원 연수 일정 변경을 안내하려고

고1 6월 응용

[5~6] 다음 글을 읽고 물음에 답하시오.

The dish you start with serves as an anchor food for your entire meal. Experiments show that people eat nearly 50 percent greater quantity of the food they eat first. If you start with a dinner roll, you will eat more starches, less protein, and fewer vegetables. Eat the healthiest food on your plate first. As age-old wisdom suggests, this usually means starting with your _____. If you are going to eat something unhealthy, at least save it for last. This will give your body the opportunity to fill up on better options before you move on to starches or sugary desserts.

*anchor: 닻 **starch: 녹말

5 윗글의 빈칸에 들어갈 말로 가장 적절한 것은?

① cake or pies   ② coffee or juice

③ cookies or bread ④ nuts or candies

⑤ vegetables or salad

6 윗글에서 필자가 주장하는 바로 가장 적절한 것은?

① 피해야 할 음식 목록을 만들어라.

② 다양한 음식들로 식단을 구성하라.

③ 음식을 조리하는 방식을 바꾸어라.

④ 자신의 입맛에 맞는 음식을 찾아라.

⑤ 건강에 좋은 음식으로 식사를 시작하라.

고1 11월

7 다음 글의 요지로 가장 적절한 것은?

How many of you have a hard time saying no? No matter what anyone asks of you, no matter how much of an inconvenience it poses for you, you do what they request. This is not a healthy way of living because by saying yes all the time you are building up emotions of inconvenience. You know what will happen in time? You will resent the person who you feel you cannot say no to because you no longer have control of your life and of what makes you happy. You are allowing someone else to have control over your life. When you are suppressed emotionally and constantly do things against your own will, your stress will eat you up faster than you can count to three.

① 거절하지 못하고 삶의 통제권을 잃으면 스트레스가 생긴다.

② 상대방의 거절을 감정적으로 해석하지 않는 것이 바람직하다.

③ 대부분의 스트레스는 상대에 대한 지나친 요구에서 비롯된다.

④ 일에 우선순위를 정해서 자신의 삶을 통제하는 것이 필요하다.

⑤ 사람마다 생각이 다를 수 있다는 점을 인정하는 것이 중요하다.

✎ 고1 6월 응용

[1~2] 다음 글을 읽고 물음에 답하시오.

Words like 'near' and 'far' can mean different things depending on what you are doing. If you were at a zoo, then you might say you are 'near' an animal if you could reach out and touch it through the bars of its cage. ①Here the word 'near' means an arm's length away. ②If you were telling someone how to get to your local shop, you might call it 'near' if it was a five-minute walk away. ③It seems that you had better walk to the shop to improve your health. ④Now the word 'near' means much _____ than an arm's length away. ⑤Words like 'near', 'far', 'hot', and 'cold' all mean different things to different people at different times.

1 윗글의 빈칸에 들어갈 말로 가장 적절한 것은?

① shorter　　　② longer

③ smaller　　　④ bigger

⑤ colder

✎ 고1 6월 응용

3 주어진 글 다음에 이어질 글의 순서로 가장 적절한 것은?

Students work to get good grades even when they have no interest in their studies. People seek job advancement even when they are happy with the jobs they already have.

(A) It's like being in a crowded football stadium, watching the crucial play. A spectator several rows in front stands up to get a better view, and a chain reaction follows.

(B) And if someone refuses to stand, he might just as well not be at the game at all. When people pursue goods that are positional, they can't help being in the rat race. To choose not to run is to lose.

(C) Soon everyone is standing, just to be able to see as well as before. Everyone is on their feet rather than sitting, but no one's position has improved.

*rat race: 치열하고 무의미한 경쟁

① (A) – (C) – (B)　　② (B) – (A) – (C)

③ (B) – (C) – (A)　　④ (C) – (A) – (B)

⑤ (C) – (B) – (A)

2 윗글에서 전체 흐름과 관계 <u>없는</u> 문장은?

고1 11월응용

[4~5] 다음 글을 읽고 물음에 답하시오.

Your personality and sense of responsibility affect not only your job, and your hobbies, but also your learning abilities and style. (①) Some people are very self-driven. (②) They are more likely to be lifelong learners. (③) Many tend to be independent learners and do not require structured classes with instructors to guide them. (④) Other individuals are peer-oriented and often follow the lead of another in unfamiliar situations. (⑤) They may be less likely to pursue learning throughout life without direct access to formal learning scenarios or the influence of a friend or spouse.

4 윗글의 흐름으로 보아 주어진 문장이 들어가기에 가장 적절한 곳은?

They are more likely to benefit from the assistance of a formal teaching environment.

5 윗글에서 주어진 말과 대응되는 말을 찾아 쓰시오.

self-driven : _____

고1 3월응용

6 다음 글의 내용을 한 문장으로 요약하고자 한다. 빈칸 (A), (B)에 들어갈 말로 가장 적절한 것은?

While there are many evolutionary or cultural reasons for cooperation, the eyes are one of the most important means of cooperation, and eye contact may be the most powerful human force we lose in traffic. It is, arguably, the reason why humans, normally a quite cooperative species, can become so noncooperative on the road. Most of the time we are moving too fast — we begin to lose the ability to keep eye contact around 20 miles per hour — or it is not safe to look. Maybe our view is blocked. Often other drivers are wearing sunglasses, or their car may have tinted windows.   *tinted: 색이 옅게 들어간

⇩

While driving, people become ___(A)___, because they make ___(B)___ eye contact.

	(A)	(B)
①	uncooperative	little
②	careful	direct
③	confident	regular
④	uncooperative	direct
⑤	careful	little

A 영어 단어와 그 의미를 바르게 연결하시오.

permission

donate

해석하다, 이해하다

기부하다

appropriate

individual

적절한

허가, 허락

다양성

interpret

diversity

개개의, 각각의

✏️ 고1 11월 응용

B 다음 글의 제목으로 가장 적절한 것을 고르시오.

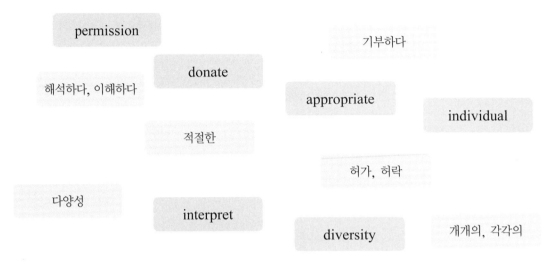

Roger Federer, the great tennis player who some call the greatest of all time, has won a record twenty Grand Slam titles. Yet, he has competed in more than sixty Grand Slam events. Thus, perhaps the greatest tennis player ever failed more than two-thirds of the time. While we don't think of him as a failure, but rather as a champion, the plain fact is, he failed much more than he succeeded on this measure, and that's generally the way things are for anyone. Failure precedes success. Simply accept that failure is part of the process and get on with it.

☐ Success Doesn't Come without Failure

☐ You Create Your Own Opportunities

☐ Don't Compare Yourself with Others

C 다음 대화에서 <u>틀리게</u> 말한 사람을 찾고 그 이유를 써 봅시다.

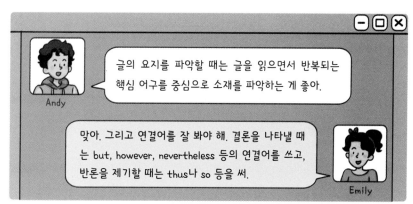

6_일

➡ _____

D 🖉 고1 3월 응용

주어진 글 다음에 이어질 글의 순서를 정한 후, 글을 다시 읽어 보시오.

　Andrew Carnegie, the great early-twentieth-century businessman, once heard his sister complain about her two sons.

☐ Within days he received warm grateful letters from both boys, who noted at the letters' end that he had unfortunately forgotten to include the check. If the check had been enclosed, would they have responded so quickly?

☐ They were away at college and rarely responded to her letters. Carnegie told her that if he wrote them he would get an immediate response.

☐ He sent off two warm letters to the boys, and told them that he was happy to send each of them a check for a hundred dollars (a large sum in those days). Then he mailed the letters, but didn't enclose the checks.

A 다음이 설명하는 단어를 찾아 바르게 연결하시오.

1 to refuse to grant a request, demand, etc. • • ⓐ opportunity

2 an appropriate or favorable time or occasion • • ⓑ extraordinary

3 to be reluctant or wait to act because of fear, indecision, or disinclination • • ⓒ reject

4 beyond what is usual, ordinary, or established • • ⓓ accomplish

5 to bring to its goal or conclusion • • ⓔ hesitate

🖉 고1 9월 응용

B 다음 설명에서 전체 흐름과 관계 없는 문장을 고르시오.

① A snowy owl's ears are not visible from the outside, but it has incredible hearing. ② The feathers on a snowy owl's face guide sounds to its ears, giving it the ability to hear things humans cannot. ③ The differing size and location of each ear helps the owl distinguish between sounds. ④ In fact, it has excellent vision both in the dark and at a distance.

✏️ 고1 9월 응용

C 다음 글을 읽고 글쓴이의 주장을 가장 잘 파악한 사람을 고르시오.

Kids learn mostly by example. They model their own behavior after their parents and their older siblings. If your kids have bad eating habits, ask yourself how that happened in the first place. If you eat a poor diet yourself, neglect your health, or smoke and drink in front of them, you shouldn't be surprised when your children go down the same road. So be a good role model and set the stage for healthy eating at home and when you eat out as a family.

부모는 자녀의 체질을 고려해서 식단을 짜야 해. — Jason

가족이 함께 식사할 수 있는 시간을 확보해야 해. — Amy

자녀의 건강한 식습관 형성을 위해 부모가 모범을 보여야 해. — Mike

D 다음 연결어가 나타내는 의미를 바르게 연결하시오.

1 therefore •

2 for instance •

3 likewise •

4 moreover •

5 as a result •

6 nevertheless •

7 in addition •

8 however •

• ⓐ 역접, 대조

• ⓑ 결론, 인과

• ⓒ 예시

• ⓓ 첨가

• ⓔ 비교

✎ 고1 11월 응용

[1~2] 다음 글을 읽고 물음에 답하시오.

To whom it may concern:

I was born and raised in the city of Boulder and have enjoyed our scenic natural spaces for my whole life. The land through which the proposed Pine Hill walking trail would cut is home to a variety of species. Wildlife faces pressure from development, and these animals need space where they can hide from human activity. If we continue to destroy habitats with excess trails, the wildlife will stop using these areas. Please reconsider whether the proposed trail is absolutely necessary.

Sincerely,

Tyler Stuart

1 윗글의 목적으로 가장 적절한 것은?

① 환경 보호 캠페인 참여를 부탁하려고

② 지역 관광 프로그램에 대해 문의하려고

③ 산책로 조성 계획의 재고를 요청하려고

④ 보행자 안전을 위해 인도 설치를 건의하려고

⑤ 야생 동물 보호구역 관리의 문제점을 지적하려고

2 윗글의 내용과 일치하지 <u>않는</u> 것을 <u>모두</u> 고르면?

① Tyler는 Boulder 시에서 태어났다.

② Tyler는 Boulder 시에서 평생 살아왔다.

③ Tyler는 Pine Hill 산책로에서 산책하고 싶어 한다.

④ Pine Hill 산책로가 될 땅은 다양한 종들의 서식지이다.

⑤ 야생 동물들을 위해 산책로 개발이 필요하다.

✎ 고1 11월 응용

[3~4] 다음 글을 읽고 물음에 답하시오.

We are surrounded by opportunities, but often we do not even see them. (①) Professor Richard Wiseman did a dramatic and extreme test of this. (②) He asked a group of volunteers to count the number of times a basketball team passed the ball. (③) Quite a few volunteers counted correctly, but only 5 out of over 20 volunteers noticed the gorilla. (④) The same applies to our professional lives. (⑤) We are so focused on keeping score and managing day to day that we do not notice the endless opportunities that are in front of our noses.

3 윗글의 흐름으로 보아, 주어진 문장이 들어가기에 가장 적절한 곳은?

As they passed the ball, a man in a gorilla suit walked into the middle of the group, thumped his chest a bit and then walked off.

4 윗글의 실험에서 고릴라를 알아차린 사람은 모두 몇 명인지 쓰시오.

➡ _____

〴고1 3월 응용

[5~6] 다음 글을 읽고 물음에 답하시오.

Recent studies show some interesting findings about _____ formation. In these studies, students who successfully acquired one positive habit reported less stress; less impulsive spending; better dietary habits; fewer hours spent watching TV; and even fewer dirty dishes. Keep working on one habit long enough, and not only does it become easier, but so do other things as well. It's why those with the right habits seem to do better than others. They're doing the most important thing regularly and, as a result, everything else is easier.

5 윗글의 빈칸에 들어갈 적절한 말을 본문에서 찾아 쓰시오.

➡ _____

6 윗글의 요지로 가장 적절한 것은?

① 참을성이 많을수록 성공할 가능성이 커진다.

② 한 번 들인 나쁜 습관은 쉽게 고쳐지지 않는다.

③ 나이가 들어갈수록 좋은 습관을 형성하기 힘들다.

④ 무리한 목표를 세우면 달성하지 못할 가능성이 크다.

⑤ 하나의 좋은 습관 형성은 생활 전반에 긍정적 효과가 있다.

〴고1 6월 응용

7 다음 글에서 필자가 주장하는 바로 가장 적절한 것은?

You can buy conditions for happiness, but you can't buy happiness. It's like playing tennis. You can buy the ball and the racket, but you can't buy the joy of playing. To experience the joy of tennis, you have to learn, to train yourself to play. It's the same with writing calligraphy. You can buy the ink, the rice paper, and the brush, but if you don't cultivate the art of calligraphy, you can't really do calligraphy. So calligraphy requires practice, and you have to train yourself. You are happy as a calligrapher only when you have the capacity to do calligraphy. Happiness is also like that. You have to cultivate happiness; you cannot buy it at a store.   *calligraphy: 서예

① 행복은 노력을 통해 길러가야 한다.

② 경기 시작 전 규칙을 정확히 숙지해야 한다.

③ 성공하려면 목표부터 명확히 설정해야 한다.

④ 글씨를 예쁘게 쓰려면 연습을 반복해야 한다.

⑤ 자기 계발에 도움이 되는 취미를 가져야 한다.

✎고1 11월응용

[8~9] 다음 글을 읽고 물음에 답하시오.

Training and conditioning for baseball focuses on developing strength, power, speed, quickness and flexibility. ①Before the 1980s, strength training was not an important part of conditioning for a baseball player. ② People viewed baseball as a game of skill and technique rather than strength, and most managers and coaches saw strength training as something for bodybuilders, not baseball players. ③Unlike more isolated bodybuilding exercises, athletic exercises train as many muscle groups and functions as possible at the same time. ④They feared that weight lifting and building large muscles would cause players to lose flexibility and interfere with quickness and proper technique. ⑤Today, _____, experts understand the importance of strength training and have made it part of the game.

8 윗글에서 전체 흐름과 관계 <u>없는</u> 문장은?

9 윗글의 빈칸에 들어갈 말로 가장 적절한 것은?

① therefore ② similarly

③ moreover ④ thus

⑤ though

✎고1 9월응용

10 주어진 글 다음에 이어질 글의 순서로 가장 적절한 것은?

We always have a lot of bacteria around us. But do not worry!

(A) But unfortunately, a few of these wonderful creatures can sometimes make us sick. This is when we need to see a doctor, who may prescribe medicines to control the infection.

(B) Most bacteria are good for us. Some live in our digestive systems and help us digest our food, and some live in the environment and produce oxygen so that we can breathe and live on Earth.

(C) But what exactly are these medicines and how do they fight with bacteria? These medicines are called "antibiotics," which means "against the life of bacteria."

① (A) – (C) – (B)

② (B) – (A) – (C)

③ (B) – (C) – (A)

④ (C) – (A) – (B)

⑤ (C) – (B) – (A)

✎ 고1 3월 응용

[11~12] 다음 글을 읽고 물음에 답하시오.

Studies from cities all over the world show the importance of life and activity as an urban attraction. People gather where things are happening and seek the presence of other people. Faced with the choice of walking down an empty or a lively street, most people would choose the street with life and activity. The walk will be more _____ and feel safer. Events where we can watch people perform or play music attract many people to stay and watch. Studies of benches and chairs in city space show that the seats with the best view of city life are used far more frequently than those that do not offer a view of other people.

11 윗글의 빈칸에 들어갈 말로 어울리지 <u>않는</u> 것은?

① interesting   ② exciting

③ attractive   ④ enjoyable

⑤ boring

12 윗글의 제목으로 가장 적절한 것은?

① The City's Greatest Attraction: People

② Leave the City, Live in the Country

③ Make More Parks in the City

④ Feeling Lonely in the Crowded Streets

⑤ Ancient Cities Full of Tourist Attractions

✎ 고1 9월 응용

13 다음 글의 내용을 한 문장으로 요약하고자 한다. 빈칸 (A), (B)에 들어갈 말로 가장 적절한 것은?

Timothy Wilson did an experiment in which he gave students a choice of five different art posters, and then later surveyed to see if they still liked their choices. People who were told to consciously examine their choices were least happy with their posters weeks later. People who looked at the poster briefly and then chose later were happiest. Another researcher then replicated the results in the real world with a study set in a furniture store. The people who had made their selections of a study set after less conscious examination were happier than those who made their purchase after a lot of careful examination.

According to the experiments, people who thought more __(A)__ about what to choose felt less __(B)__ with their choices.

      (A)   (B)

① carefully   —   satisfied

② positively   —   disappointed

③ critically   —   annoyed

④ negatively   —   disappointed

⑤ briefly   —   satisfied

✐ 고1 11월 응용

[1~2] 다음 글을 읽고 물음에 답하시오.

Dear Mr. Denning,

It brings me great satisfaction to serve as a board member of the Redstone Music and Arts Center, and I'm honored that the board has seen fit to recommend me for vice president. _____, because my work schedule has become so unpredictable, I must decline the recommendation. I simply don't feel I can give the time and energy that the Music and Arts Center deserves from its vice president. For the time being, then, I look forward to carrying on as a regular board member.

Sincerely,

Jason Becker

1 윗글의 빈칸에 들어갈 말로 가장 적절한 것은?

① Similarly
② However
③ As a result
④ In addition
⑤ For instance

2 윗글의 목적으로 가장 적절한 것은?

① 부회장으로 추천받은 것을 거절하려고
② 공연 취소에 대한 불만을 제기하려고
③ 음악 예술 센터 개관을 축하하려고
④ 불규칙한 업무 일정 개선을 요구하려고
⑤ 이사회 위원 선출 방식 변경을 촉구하려고

✐ 고1 11월 응용

3 다음 글의 요지로 가장 적절한 것은?

FOBO, or Fear of a Better Option, is the anxiety that something better will come along, which makes it undesirable to commit to existing choices when making a decision. It's an affliction of abundance that drives you to keep all of your options open and to avoid risks. Rather than assessing your options, choosing one, and moving on with your day, you delay the inevitable. It's not unlike hitting the snooze button on your alarm clock only to pull the covers over your head and fall back asleep. While pressing snooze feels so good at the moment, it ultimately demands a price.   *affliction: 고통

① 적당한 수준의 불안감은 업무 수행에 도움이 된다.
② 성급한 의사 결정은 의도하지 않은 결과를 초래한다.
③ 반복되는 실수를 줄이기 위해서는 신중함이 요구된다.
④ 더 나은 선택을 위해 결정을 미루는 것은 결국 해가 된다.
⑤ 규칙적인 생활 습관은 직장에서의 성공 가능성을 높인다.

✎ 고1 6월 응용

[4~5] 다음 글을 읽고 물음에 답하시오.

Some years ago at the national spelling bee in Washington, D.C., a thirteen-year-old boy was asked to spell *echolalia*, a word that means a tendency to repeat whatever one hears. (①) Although he misspelled the word, the judges misheard him, told him he had spelled the word right, and allowed him to advance. (②) So he was eliminated from the competition after all. (③) Newspaper headlines the next day called the honest young man a "spelling bee hero." (④) "The judges said I had a lot of honesty," the boy told reporters. (⑤) He added that part of his motive was, "I didn't want to feel like a liar."

*spelling bee: 단어 철자 맞히기 대회

4 윗글의 흐름으로 보아, 주어진 문장이 들어가기에 가장 적절한 곳은?

When the boy learned that he had misspelled the word, he went to the judges and told them.

5 윗글의 내용과 일치하지 <u>않는</u> 것은?

① 소년은 전국 단어 철자 맞히기 대회에 참가했다.

② 소년은 'echolalia'의 철자를 잘못 말했다.

③ 소년의 일화는 신문에 실렸다.

④ 소년은 정직했기 때문에 대회에서 우승할 수 있었다.

⑤ 'echolalia'는 '들은 것은 무엇이든 반복하는 경향'이라는 의미이다.

✎ 고1 11월

6 다음 글에서 필자가 주장하는 바로 가장 적절한 것은?

Don't let distractions interrupt your attentive listening to the speaker. You want to send the message that what the speaker is saying is important to you. That message will ring hollow if you answer your cell phone and put the speaker on hold. If your cell phone rings while you are in a conversation, fight the urge to answer. The fact that your cell phone is ringing doesn't mean you have to answer it. Rarely are phone calls urgent. If no message is left, that is clearly the case. And if a message is left, you can listen to it, usually in a matter of minutes, once your conversation has finished. Even in today's tech-savvy world, answering phone calls during a conversation is disrespectful.

*tech-savvy: 기술 사용이 능숙한

① 공공장소에서는 작은 목소리로 통화하라.

② 상대방의 눈을 바라보면서 대화에 집중하라.

③ 상대방의 말을 주의 깊게 들을 때 전화를 받지 마라.

④ 늦은 시각에는 전화를 걸거나 문자 메시지를 보내지 마라.

⑤ 상대방의 이야기를 먼저 듣고 자신이 하고 싶은 말을 하라.

✏️고1 11월 응용

[7~8] 다음 글을 읽고 물음에 답하시오.

Imagine yourself at a party. It is dark and a group of friends ask you to take a picture of them. You grab your camera, point, and shoot your friends.

(A) This is a common problem called the *red-eye effect*. It is caused because the light from the flash penetrates the eyes through the pupils, and then gets reflected to the camera from the back of the eyes where a large amount of blood is present.

(B) The camera automatically turns on the flash as there is not enough light available to produce a correct exposure. The result is half of your friends appear in the picture with two bright red circles instead of their eyes.

(C) This blood is the reason why the eyes look _____ in the photograph. This effect is more noticeable when there is not much light in the environment.

*penetrate: 통과하다 ** pupil: 동공

7 주어진 글 다음에 이어질 글의 순서로 가장 적절한 것은?

① (A) – (C) – (B) ② (B) – (A) – (C)
③ (B) – (C) – (A) ④ (C) – (A) – (B)
⑤ (C) – (B) – (A)

8 윗글의 빈칸에 들어갈 말로 가장 적절한 것은?

① black ② white ③ blue
④ yellow ⑤ red

✏️고1 9월 응용

9 다음 글의 제목으로 가장 적절한 것은?

Benjamin Franklin once suggested that a newcomer to a neighborhood ask a new neighbor to do him or her a favor. In Franklin's opinion, asking someone for something was the most useful and immediate invitation to social interaction. Such asking on the part of the newcomer provided the neighbor with an opportunity to show himself or herself as a good person, at first encounter. It also meant that the latter could now ask the former for a favor, in return, increasing the familiarity and trust. In that manner, both parties could overcome their natural hesitancy and mutual fear of the stranger.

① How to Present Your Strengths to Others
② A Relationship Opener: Asking for a Favor
③ Why Do We Hesitate to Help Strangers?
④ What You Ask for Shows Who You Are
⑤ Polite Ways of Inviting Our Neighbors

✎고1 3월응용

[10~11] 다음 글을 읽고 물음에 답하시오.

Today car sharing movements have appeared all over the world. In many cities, car sharing has made a strong impact on how city residents travel. ① Even in strong car-ownership cultures such as North America, car sharing has gained popularity. ② In the U.S. and Canada, membership in car sharing now exceeds one in five adults in many urban areas. ③ Strong influence on traffic jams and pollution can be felt from Toronto to New York, as each shared vehicle replaces around 10 personal cars. ④ The best thing about driverless cars is that people won't need a license to operate them. ⑤ City governments with downtown areas struggling with traffic jams and lack of parking lots are driving the growing popularity of car sharing.

10 윗글에서 전체 흐름과 관계 <u>없는</u> 문장은?

11 윗글의 내용과 일치하지 <u>않는</u> 것은?

① 차량 공유 운동이 전 세계적으로 나타났다.

② 북미에서는 차량 공유가 인기를 얻지 못했다.

③ 미국과 캐나다의 여러 도시 지역에서 차량 공유 회원 수가 성인 5명 중 1명을 넘어섰다.

④ 공유된 각 1대의 차량은 약 10대의 개인 차량을 대체한다.

⑤ 차량 공유는 교통 체증과 주차장 부족 문제를 해결하는 데 도움이 된다.

✎고1 3월응용

12 다음 글의 주제로 가장 적절한 것은?

Noise in the classroom has negative effects on communication patterns and the ability to pay attention. Thus, it is not surprising that constant exposure to noise is related to children's academic achievement, particularly in its negative effects on reading and learning to read. Some researchers found that, when preschool classrooms were changed to reduce noise levels, the children spoke to each other more often and in more complete sentences, and their performance on prereading tests improved. Research with older children suggests similar findings.

① impacts of noise on academic achievement

② new trends in classroom design

③ ways to control a noisy class

④ various kinds of reading activities

⑤ roles of reading in improving writing skills

Word Puzzle

정답과 해설 16쪽

💎 주어진 문장의 빈칸에 들어갈 말을 이용하여 퍼즐을 완성하시오.

Across

3. We can't enforce _____ between the players.
   (우리는 선수들 간의 협조를 강요할 수는 없다.)

4. I'm interested in _____ Korean history.
   (나는 고대 한국사에 관심이 있다.)

5. We have abundant _____ to prove your guilt.
   (우리는 당신의 유죄를 입증할 풍부한 증거를 가지고 있다.)

6. I will help you _____ your goals.
   (나는 네가 목표를 달성하도록 도울 것이다.)

Down

1. Don't _____ to ask any questions.
   (주저하지 말고 무엇이든 물어보세요)

2. His parents have been a positive _____ on him.
   (그의 부모님은 그에게 긍정적인 영향을 주어 왔다.)

Memo

핵심정리 01 글쓴이의 주장

[유형 분석]

1 글쓴이가 **❶** [　　　] 의견을 파악하는 유형이다.

2 주장은 글쓴이가 독자에게 직접적으로 전달하는 메시지로 주로 논설문이 많다.

3 한글 선택지에 '**❷** [　　　], ~해라'라는 표현이 많이 쓰인다.

필자의 주장을 추론하는 유형이에요.

답 ❶ 주장하는 ❷ ~해야 한다

핵심정리 02 글의 요지

[유형 분석]

1 글의 핵심 내용을 추론하는 유형이다.

2 요지는 **❶** [　　　] 나 중심 내용을 간결한 **❷** [　　　] 형태로 나타내는데, 글의 일부분이 아닌 글 전체에 나타나 있는 글쓴이의 견해를 말한다.

글의 요지를 추론하는 유형이에요.

답 ❶ 주제 ❷ 문장

핵심정리 03 글의 주제

[유형 분석]

1 글의 주제는 글쓴이가 말하고자 하는 핵심 내용이다.

2 선택지는 핵심어를 포함한 **❶** [　　　] 형태로 제시된다.

글의 주제를 추론하는 유형이에요.

답 ❶ 명사구

핵심정리 04 글의 제목

[유형 분석]

1 제목은 글의 핵심 내용을 **❶** [　　　] 으로 표현한다.

2 읽는 사람의 관심을 끌기 위해 강한 어구나 **❷** [　　　], 또는 명령문으로 표현되기도 한다.

글의 제목을 추론하는 유형이에요.

답 ❶ 함축적 ❷ 의문문

문제 해결 전략

1 글을 읽으면서 반복되는 핵심 어구를 중심으로 소재를 파악한다.

2 글쓴이의 관점이나 견해 등이 담긴 표현에 주목한다.
대조와 결론을 나타내는 연결어: but, ❶ [   ],
nevertheless 등은 반론을 제기할 때, ❷ [   ]나 so
등은 의견을 정리할 때 사용된다.

3 글의 중반 이후 또는 마지막 부분에 글의 요지가 제시되는 경우가 많다.

답 ❶ however ❷ thus

문제 해결 전략

1 글을 읽으면서 ❶ [   ] 핵심 어구를 중심으로 소재를 파악한다.

2 글쓴이의 의견, 주장 등이 담긴 표현과 ❷ [   ]에 주목한다.
- 의견을 드러낼 때 많이 쓰는 형용사: important, necessary, crucial, vital, desirable 등
- 주장을 강하게 나타낼 때 쓰는 (조)동사: must, should, have to, need to 등

3 글의 중반 이후 또는 ❸ [   ] 부분에 글쓴이의 주장이 제시되는 경우가 많다.

답 ❶ 반복되는 ❷ 명령문 ❸ 마지막

문제 해결 전략

1 선택지를 먼저 읽고 글의 내용을 미리 예측해 본다.

2 글의 전개 방식과 ❶ [   ]를 통해 글의 요지를 파악한다.

3 핵심 어구와 핵심 내용을 바탕으로 제목을 적절히 표현한 선택지를 고른다.

4 주제에 비해 제목은 ❷ [   ], 비유적 표현으로도 제시되기 때문에 글의 핵심 내용을 포괄하고 있는지 확인해야 한다.

답 ❶ 연결어 ❷ 간접적

문제 해결 전략

1 ❶ [   ]를 먼저 읽고 글의 내용을 미리 예측해 본다.

2 글의 전개 방식과 연결어를 통해 글의 ❷ [   ]를 파악한다.
- 두괄식: 요지 + 부연 설명
- 중괄식: 통념 + 요지 + 부연 설명
- 미괄식: 부연 설명 + 요지

3 파악한 핵심 내용을 토대로 주제를 적절히 표현한 선택지를 고른다.

답 ❶ 선택지 ❷ 요지

핵심 정리 05 글의 목적

유형 분석

1 글쓴이가 글을 쓴 **①**〔　　　　〕를 파악하는 유형이다.

2 주로 **②**〔　　　〕, 안내문, 광고문 등 일상생활에서 많이 접할 수 있는 실용문이 많다.

글의 목적을 추론하는 유형이에요.

답 **①** 의도 **②** 편지글

핵심 정리 06 요약문 완성

유형 분석

1 글 전체의 내용을 **①**〔　　　　〕문장의 빈칸에 들어갈 말을 추론하는 유형이다.

2 **②**〔　　　　〕의 빈칸이 제시되는데, 빈칸에는 글의 핵심어나 핵심 내용과 관련된 어구가 들어간다.

글의 요약문을 완성하는 유형이에요.

답 **①** 요약하는 **②** 두 개

핵심 정리 07 연결어

유형 분석

1 글의 중간에 있는 빈칸에 들어가 글의 흐름을 자연스럽게 이어주는 **①**〔　　　　〕를 찾는 유형이다.

2 주로 역접/대조, **②**〔　　　〕, 예시를 나타내는 연결어를 묻는 문제가 자주 출제된다.

글의 빈칸에 알맞은 연결어를 추론하는 유형이에요.

답 **①** 연결어 **②** 결론/인과

핵심 정리 08 무관한 문장

유형 분석

1 어떤 소재에 대해 **①**〔　　　　〕설명하는 있는 글에서 전체 흐름이나 주제에서 **②**〔　　　〕한 문장을 고르는 유형이다.

글의 흐름과 무관한 문장을 파악하는 유형이에요.

답 **①** 일관되게 **②** 벗어나는

핵심정리 06 요약문 완성

1 먼저 요약문과 **❶** [　　　]를 읽고, 글의 전반적인 흐름을 파악한다.
　– 선택지로 제시된 어휘는 본문의 핵심어와 **❷** [　　　]이거나 반의어인 경우가 많다.

2 글에서 반복되는 어휘나 어구, 그리고 주제문을 찾아본다.

3 선택지의 어구를 넣어 요약문을 완성한 후, 글의 내용을 포괄적으로 다루는지 확인한다.

답 ❶ 선택지 ❷ 동의어

핵심정리 05 글의 목적

1 글의 **❶** [　　　]에서 누가 누구에게 쓰는 글인지, 무엇에 관해 쓰고 있는지 파악한다.

2 보통 글의 중반부부터 편지를 쓰게 된 **❷** [　　　]를 설명하는 내용이 제시되고, 광고글의 경우 광고의 내용이 구체적으로 설명된다.

3 글의 결론 부분에는 편지를 쓴 이유를 다시 한 번 확인하고, 광고글에서는 연락처나 기한 등을 안내하고 구매를 한 번 더 강조한다.

답 ❶ 도입부 ❷ 동기

핵심정리 08 무관한 문장

1 글의 도입부에서 글의 소재 또는 주제를 파악한다. 첫 문장이 **❶** [　　　]이거나 글의 소재를 소개하므로 주의 깊게 본다.

2 **❷** [　　　]의 내용을 차례대로 읽으면서 글의 주제와 같은 맥락인지 파악한다.

3 무관한 문장을 제외하고 글을 읽으며 글의 흐름이 자연스러운지 확인한다.

답 ❶ 주제문 ❷ 선택지

핵심정리 07 연결어

1 도입부에서 글의 핵심 소재 및 주요 내용을 파악한다.

2 글을 읽으며 빈칸 앞뒤 내용의 논리적 관계를 파악한다.

3 선택지의 연결어를 넣어 글의 흐름이 자연스러운지 확인한다.
　– 역접/대조: however, on the other **❶** [　　　], nevertheless, on the contrary, in[by] contrast 등
　– 결론/인과: therefore, **❷** [　　　] a result, thus, in consequence, hence 등
　– 예시: for example, for **❸** [　　　] 등
　– 첨가: in addition, moreover, furthermore 등
　– 비교: similarly, likewise 등

답 ❶ hand ❷ as ❸ instance

핵심정리 09 문장의 위치

[유형 분석]

1 문장들 간의 **❶** 을 파악하여 글 속에 주어진 문장이 **❷** 를 찾는 유형이다.

문장의 위치를 파악하는 유형이에요.

[답] ❶ 연결성 ❷ 들어갈 위치

핵심정리 10 글의 순서

[유형 분석]

1 주어진 글 다음에 이어질 글의 순서를 배열하여 한 편의 글이 되도록 완성하는 유형이다.

2 주어진 글의 각 단락 **❶** 에는 글의 순서를 알려주는 **❷** 나 연결사가 있을 수 있다.

글의 순서를 파악하는 유형이에요.

[답] ❶ 앞부분 ❷ 지시어

핵심정리 11 1일 주요 어휘

accomplish	성취하다
achieve	달성하다, 성취하다
admit	인정하다
burden	부담, 짐
complicated	복잡한
concern	관심, 염려
consider	여기다, 생각하다
determine	결정하다
ignorant	무지한
improvement	개선
obvious	명백한
progress	발전
reflection	반영
reject	거절하다
require	요구하다

핵심정리 12 2일 주요 어휘

compassion	연민
compete	경쟁하다
comprehension	이해
cooperate	협력하다
critical	중요한
development	발달, 성장
eliminate	없애다, 제거하다
estimate	추산하다
evidence	증거
individual	개개의, 각각의
multiple	여러 번의
opportunity	기회
polish	다듬다, 닦다
promote	촉진하다
purpose	목적

문제 해결 전략

1 　**❶**　을 먼저 읽고 글의 소재와 핵심 내용을 파악한다.

2 (A), (B), (C) 단락을 차례대로 읽으며 앞뒤를 연결하는 **❷**　를 찾는다.

3 글의 순서를 정한 후, 글의 흐름이 자연스러운지 다시 한 번 읽으면서 확인한다.

답 ❶ 주어진 글 ❷ 단서

문제 해결 전략

1 　**❶**　을 먼저 읽고 내용을 파악한다.
　- 문장 속의 대명사나 지칭어구, **❷**　등에 주목한다.

2 글을 읽으며 내용의 흐름이 끊어지거나 논리적 비약이 일어나는 곳을 찾는다.

3 정답을 고른 후, 주어진 문장을 넣어 글을 다시 읽으며 흐름이 자연스러운지 확인한다.

답 ❶ 주어진 문장 ❷ 연결어구

1 We want to **compete** with the best teams.
(우리는 최고의 팀들과 경쟁하고 싶다.)

2 The two companies agreed to **❶**　with each other.
(그 두 회사는 서로 협력하기로 합의했다.)

3 His decision is **critical** to his son's future.
(그의 결정은 그의 아들의 장래에 대단히 중요하다.)

4 We have abundant **❷**　to prove your guilt.
(우리는 당신의 유죄를 입증할 풍부한 증거를 가지고 있다.)

5 We need three **❸**　single rooms.
(우리는 3개의 개별 싱글룸이 필요하다.)

답 ❶ cooperate ❷ evidence ❸ individual

1 I will help you **❶**　your goals.
(나는 네가 목표를 달성하도록 도울 것이다.)

2 We should **❷**　a date for a meeting.
(우리는 회의 날짜를 결정해야 한다.)

3 His main **concern** is his family's health.
(그의 주된 관심은 그의 가족의 건강이다.)

4 It may sounds **❸**, but it's very simple.
(그것은 복잡하게 들릴지 모르지만, 매우 간단하다.)

5 I decided to **reject** her offer.
(나는 그녀의 제안을 거절하기로 결정했다.)

답 ❶ achieve ❷ determine ❸ complicated

부록 핵심 정리 총집합

assistance	도움
conduct	하다, 행동하다
disability	장애
donate	기부하다
hesitate	주저하다
instrument	도구, 악기
interpret	해석하다, 이해하다
participant	참가자
permission	허가, 허락
present	있는, 존재하는
procedure	절차
receipt	영수증
relationship	관계
seek	추구하다, 찾다
opposed to	~에 반대하는

adopt	채택하다
assume	가정하다
audience	청중
compel	강요하다
considerable	상당한, 많은
constant	끊임없는, 지속적인
cooperation	협조, 협력
desire	욕구
diversity	다양성
extraordinary	특별한
outcome	결과
policy	정책, 방침
precisely	정확히, 바로
reflect	나타내다, 반영하다
stable	안정된

ancient	고대의
appropriate	적절한
brief	짧은
composition	구성 성분
consistent	일관된, 한결같은
correct	적절한, 올바른
emphasize	강조하다
environment	환경
muscle	근육
obstacle	장애물
properly	적절히
purchase	구입하다, 구매하다
supply	물자; 공급
survival	생존
tendency	경향, 성향

advancement	발전, 진보
assess	평가하다
confidence	자신감
decline	거절하다
distinguish	구별하다
employee	사원, 직원
frequently	자주
gain	얻다
immediate	즉각적인
influence	영향
interrupt	방해하다
precede	선행하다
pursue	추구하다
refuse	거부하다
strategy	전략

1. Damage to the building was **considerable**.
   (그 건물이 입은 피해가 상당했다.)

2. She improved her health by ❶   exercise.
   (그녀는 끊임없는 운동으로 자신의 건강을 증진시켰다.)

3. We can't enforce **cooperation** between the players.
   (우리는 선수들 간의 협조를 강요할 수는 없다.)

4. They're going to discuss cultural ❷   .
   (그들은 문화적 다양성에 대해 토론할 예정이다.)

5. He pronounced the word ❸   .
   (그는 그 단어를 정확하게 발음했다.)

📋 ❶ constant ❷ diversity ❸ precisely

1. We aim to provide **assistance** to people in need.
   (우리는 어려운 사람들에게 도움을 제공하는 것을 목표로 하고 있다.)

2. Don't ❶   to ask any questions.
   (주저하지 말고 무엇이든 물어보세요)

3. How do I ❷   your silence?
   (너의 침묵을 내가 어떻게 해석해야 하니?)

4. He took my cell phone without ❸   .
   (그는 허락도 없이 내 휴대전화를 가지고 갔다.)

5. It's important to follow the regular **procedure**.
   (평상시의 절차를 따르는 것이 중요하다.)

📋 ❶ hesitate ❷ interpret ❸ permission

1. ❶   is the key to success.
   (자신감은 성공에 이르는 열쇠이다.)

2. It is important to ❷   fact from fiction.
   (사실과 허구를 구분하는 것이 중요하다.)

3. He **frequently** posts his selfies on his blog.
   (그는 자신의 블로그에 셀피를 자주 올린다.)

4. His parents have been a positive ❸   on him.
   (그의 부모님은 그에게 긍정적인 영향을 주어 왔다.)

5. The new **employee** seems to be adjusting well.
   (그 신입사원은 잘 적응하고 있는 것 같다.)

📋 ❶ Confidence ❷ distinguish ❸ influence

1. He is not sure whether it is ❶   or not.
   (그는 그것이 적절한지 아닌지 확신이 없다.)

2. She **emphasized** that children should be independent.
   (그녀는 아이들이 독립심을 가져야 한다고 강조했다.)

3. These kids should learn to behave ❷   .
   (이 아이들은 적절히 행동하는 법을 배워야 한다.)

4. I'm interested in **ancient** Korean history.
   (나는 고대 한국사에 관심이 있다.)

5. We are planning to ❸   two copiers.
   (우리는 복사기를 두 대 구입할 예정이다.)

📋 ❶ appropriate ❷ properly ❸ purchase

book.chunjae.co.kr

교재 내용 문의	··········	교재 홈페이지 ▸ 고등 ▸ 교재상담
교재 내용 외 문의	··········	교재 홈페이지 ▸ 고객센터 ▸ 1:1문의
발간 후 발견되는 오류	··········	교재 홈페이지 ▸ 고등 ▸ 학습지원 ▸ 학습자료실

7일 끝

시험 대비 독해 기초

7일 끝으로 끝내자!

고등 영어 독해

BOOK 2

천재교육

언제나 만점이고 싶은 친구들

Welcome!

숨 돌릴 틈 없이 찾아오는 시험과 평가.
성적과 입시 그리고 미래에 대한 걱정.
중·고등학교에서 보내는 6년이란 시간은
때때로 힘들고, 버겁게 느껴지곤 해요.

그런데 여러분, 그거 아세요?
지금 이 시기가 노력의 대가를
가장 잘 확인할 수 있는 시간이라는 걸요.

안 돼, 못하겠어, 해도 안 될 텐데ㅡ
이렇게 생각하지 말아요. 천재교육이 있잖아요.
첫 시작의 두려움을 첫 마무리의 뿌듯함으로 바꿔줄게요.

펜을 쥐고 이 책을 펼친 순간
여러분 앞에 무한한 가능성의 길이 열렸어요.

우리와 함께 꽃길을 향해 걸어가 볼까요?

#시험대비
#핵심정복

7일 끝
시험 대비
독해 기초

Chunjae
Makes
Chunjae

▼

[7일끝 고등 영어] 독해

발행일	2021년 9월 15일 초판 2021년 9월 15일 1쇄
발행인	(주)천재교육
주소	서울시 금천구 가산로9길 54
신고번호	제2001-000018호
고객센터	1577-0902
교재 내용문의	(02)3282-1711

이 책의 구성과 활용

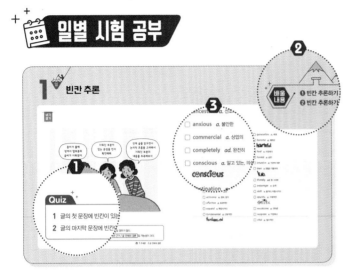

생각 열기 + 단어 미리 보기

만화와 함께 본격적인 공부에 앞서 학습 내용을 가볍게 짚고 넘어갈 수 있습니다.

❶ **Quiz** | 간단한 퀴즈를 통해 기본적인 내용을 알고 있는지 확인하기

❷ **배울 내용** | 오늘 공부할 학습 내용 확인하기

❸ **단어 미리 보기** | 오늘 학습에 필요한 단어 확인하기

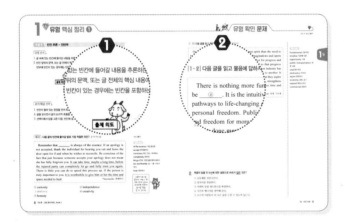

유형 핵심 정리 + 유형 확인 문제

꼭 알아야 독해 유형 핵심 내용을 공부하고, 유형 확인 문제를 통해 내용을 잘 이해했는지 꼼꼼히 확인할 수 있습니다.

❶ **유형 핵심 정리** | 빈칸 문제를 채우며 핵심 내용 체크하기

❷ **유형 확인 문제** | 유형 핵심 정리 내용에 대한 확인 문제 풀기

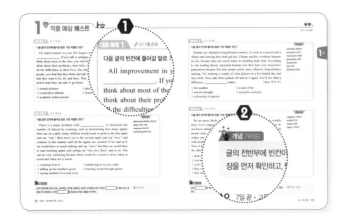

적중 예상 베스트

학교 시험 유형의 대표 예제를 연습하여 시험에 효과적으로 대비할 수 있습니다.

❶ **기출 지문 활용** | 전국연합학력평가의 기출 지문을 활용하여 학교 시험 문제 유형 익히기

❷ **개념 가이드** | 빈칸을 채우며 문제를 푸는 데 도움이 되는 개념 확인하기

시험 공부 마무리 테스트

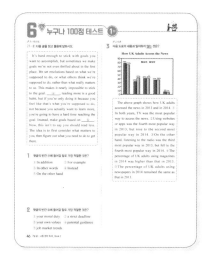

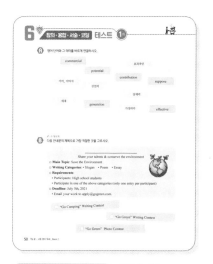

누구나 100점 테스트

아주 쉬운 예상 문제로 100점에 도전하여 시험에 대한 자신감을 키울 수 있습니다.

창의·융합·서술·코딩 테스트

쉽고 다양한 서술형 문제를 통해 어렵게 느껴지는 서술형 문제에 대한 자신감을 키울 수 있습니다.

학교 시험 기본 테스트

학교 시험 유형의 예상 문제를 풀어 봄으로써 내신에 대한 자신감을 키울 수 있습니다.

시험 직전까지 챙겨야 할 부록

◆ 핵심 정리 총집합 카드

가장 중요한 핵심 내용만 모아 카드 형식으로 수록하였습니다.
휴대하여 이동할 때나 시험 직전에 활용할 수 있습니다.

◆ 어휘 목록 / 어휘 테스트

7일 동안 학습한 어휘를 정리하고 테스트를 통해 확인할 수 있도록 했습니다.

이 책의 차례

Book 2

1일 **빈칸 추론** 6
① 빈칸 추론하기 – 전반부
② 빈칸 추론하기 – 중·후반부

2일 **지칭 추론 / 내용 일치** 14
① 지칭어구가 지칭하는 대상 찾기
② 내용의 일치·불일치 여부 판단하기

3일 **도표 / 안내문** 22
① 도표의 내용 파악하기
② 안내문의 내용 파악하기

4일 **심경·분위기 / 밑줄 친 부분의 의미 파악** 30
① 등장인물의 심경·글의 분위기 파악하기
② 밑줄 친 부분의 의미 파악하기

5일 **어법 / 어휘** 38
① 어법상 쓰임이 적절한지 판단하기
② 어휘의 쓰임이 옳은지 판단하기

6일 누구나 100점 테스트 **1회** 46
누구나 100점 테스트 **2회** 48
창의·융합·서술·코딩 테스트 **1회** 50
창의·융합·서술·코딩 테스트 **2회** 52

7일 학교 시험 기본 테스트 **1회** 54
학교 시험 기본 테스트 **2회** 58

◈ 정답과 해설
◈ 어휘 목록 / 어휘 테스트
◈ 핵심 정리 총집합 카드

Book 1

1일 글쓴이의 주장 / 글의 요지 ⸺⸺⸺⸺⸺ 6
① 글쓴이의 주장 파악하기
② 글의 요지 파악하기

2일 글의 주제 / 글의 제목 ⸺⸺⸺⸺⸺ 14
① 글의 주제 파악하기
② 글의 제목 추론하기

3일 글의 목적 / 요약문 완성 ⸺⸺⸺⸺⸺ 22
① 글의 목적 파악하기
② 요약문 완성하기

4일 연결어 / 무관한 문장 ⸺⸺⸺⸺⸺ 30
① 연결어 파악하기
② 무관한 문장 찾기

5일 문장의 위치 / 글의 순서 ⸺⸺⸺⸺⸺ 38
① 문장의 위치 찾기
② 글의 순서 정하기

6일 누구나 100점 테스트 **1회** ⸺⸺⸺⸺⸺ 46
누구나 100점 테스트 **2회** ⸺⸺⸺⸺⸺ 48
 **창의・융합・서술・코딩** 테스트 **1회** ⸺⸺ 50
창의・융합・서술・코딩 테스트 **2회** ⸺⸺ 52

7일 학교 시험 기본 테스트 **1회** ⸺⸺⸺⸺⸺ 54
학교 시험 기본 테스트 **2회** ⸺⸺⸺⸺⸺ 58

◈ 정답과 해설
◈ 어휘 목록 / 어휘 테스트
◈ 핵심 정리 총집합 카드

빈칸 추론

종이가 물에 젖어서 앞부분의 글씨가 지워졌어.

지워진 부분이 있는 문장을 먼저 확인해봐.

전체 글을 읽으면서 논리적 흐름을 고려해서 지워진 부분의 내용을 추측해보자.

Quiz

1 글의 첫 문장에 빈칸이 있는 경우에는 그 문장이   요약문 / 주제문   일 경우가 많다.

2 글의 마지막 문장에 빈칸이 있는 경우에는 그 문장이   주장에 대한 근거 / 글 전체의 결론   일 가능성이 크다.

📋 1 주제문 2 글 전체의 결론

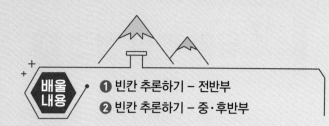
단어 미리 보기

check~

- ☐ accept   *v.* 받아들이다
- ☐ ancestral   *a.* 선조의
- ☐ anxious   *a.* 불안한
- ☐ commercial   *a.* 상업의
- ☐ completely   *ad.* 완전히
- ☐ conscious   *a.* 알고 있는, 의식하는

  conscious

- ☐ destination   *n.* 목적지

  destination

- ☐ determine   *v.* 결정하다, 알아내다
- ☐ disastrous   *a.* 처참한
- ☐ economy   *n.* 경제, 경기
- ☐ effective   *a.* 효과적인
- ☐ expand   *v.* 확장시키다
- ☐ fundamental   *a.* 근본적인

  fundamental

- ☐ generation   *n.* 세대
- ☐ harmful   *a.* 해로운

- ☐ heal   *v.* 치유하다
- ☐ humid   *a.* 습한
- ☐ intuitive   *a.* 직관에 의한
- ☐ lean   *v.* (몸을) 기울이다

  lean

- ☐ literally   *ad.* 말 그대로
- ☐ passenger   *n.* 승객
- ☐ shift   *v.* 옮기다, 이동시키다
- ☐ specific   *a.* 구체적인

  specific

- ☐ successive   *a.* 잇따른
- ☐ suppose   *v.* 가정하다
- ☐ vital   *a.* 필수적인

1일 유형 핵심 정리 ❶

유형 1 │ 빈칸 추론 – 전반부

유형 분석

1. 글 속에 있는 빈칸에 들어갈 내용을 추론하는 유형이다.

2. 빈칸 앞뒤의 문맥, 또는 글 전체의 핵심 내용에 비추어 추론하는데, 글의 ❶ [   ] 또는 전반부에 빈칸이 있는 경우에는 빈칸을 포함하는 문장이 ❷ [   ] 일 경우가 많다.

❶ 첫 문장
❷ 주제문

출제 의도 → 빈칸에 적절한 표현을 추론한다.

문제 해결 전략

1. 빈칸이 들어 있는 문장을 먼저 확인하고, 빈칸 ❸ [   ] 를 중심으로 핵심 내용을 파악한다.

❸ 앞뒤

2. 글을 읽으면서 글의 논리적 흐름을 고려하여 빈칸에 들어갈 내용을 추측해 본다.

3. 선택지에서 답을 고른 다음, 빈칸에 넣어 글의 흐름이 자연스러운지 확인한다.

예제 │ 다음 글의 빈칸에 들어갈 말로 가장 적절한 것은? ✎ 고1 3월 응용

해설 34쪽

Remember that _____ is always of the essence. If an apology is not accepted, thank the individual for hearing you out and leave the door open for if and when he wishes to reconcile. Be conscious of the fact that just because someone accepts your apology does not mean she has fully forgiven you. It can take time, maybe a long time, before the injured party can completely let go and fully trust you again. There is little you can do to speed this process up. If the person is truly important to you, it is worthwhile to give him or her the time and space needed to heal.

*reconcile: 화해하다

① curiosity
② independence
③ patience
④ creativity
⑤ honesty

Words

of the essence 가장 중요한
accept 받아들이다
conscious 알고 있는, 의식하는
completely 완전히
let go (근심·걱정 등을) 떨쳐 버리다
be worthwhile to ~할 가치가 있다
heal 치유하다

지문에 표시된 문장의 내용이 무엇과 관계 있는지 파악하면 빈칸에 들어갈 말을 알 수 있어요.

정답과 해설 **34**쪽

1일

[1~2] 다음 글을 읽고 물음에 답하시오. ✏️고1 11월 응용

There is nothing more fundamental to the human spirit than the need to be ⓐ . It is the intuitive force that sparks our imaginations and opens pathways to life-changing opportunities. It is the catalyst for progress and personal freedom. Public transportation has been vital to that progress and freedom for more than two centuries. The transportation industry has always done more than carry travelers from one destination to another. It provides access to what people need, what they love, and what they aspire to become. In so doing, ⓑit grows communities, creates jobs, strengthens the economy, expands social and commercial networks, saves time and energy, and helps millions of people achieve a better life.

*catalyst: 촉매, 기폭제

Words

fundamental 근본적인
intuitive 직관에 의한
opportunity 기회
public transportation 대중 교통
vital 필수적인
destination 목적지
aspire 열망하다
economy 경제, 경기
expand 확장시키다
commercial 상업의

1 윗글의 빈칸 ⓐ에 들어갈 말로 가장 적절한 것은?

① secure
② mobile
③ exceptional
④ competitive
⑤ independent

2 윗글의 밑줄 친 ⓑit에 대한 설명으로 바르지 <u>않은</u> 것은?

① 공동체를 성장시킨다.
② 일자리를 창출한다.
③ 사회와 상업 네트워크를 확장한다.
④ 시간과 에너지를 절약해 준다.
⑤ 소수의 사람들이 더 나은 삶을 누릴 수 있도록 돕는다.

1일 유형 핵심 정리 ❷

유형2 빈칸 추론 – 중·후반부

유형 분석

1. 빈칸이 글의 후반부, 특히 마지막 문장에 있을 경우에는 글 전체의 ❶ [　　　]이나 요지일 가능성이 크며, ❷ [　　　]을 재강조하는 문장일 수 있다.

2. 역접의 연결어와 함께 중반부에 빈칸이 있는 경우에는 앞에 나온 논리와 반대되는 내용이 제시되기도 한다. 그렇지 않다면 대부분 ❸ [　　　]의 내용에서 단서를 찾을 수 있다.

❶ 결론
❷ 주제문
❸ 빈칸 앞뒤

출제 의도 ▷ 빈칸에 적절한 표현을 추론한다.

문제 해결 전략

1. 글의 앞부분을 읽으면서 글의 주제 또는 핵심 소재를 파악한다.
2. 빈칸 앞뒤에 ❹ [　　　]가 있는지 확인한다.
3. 선택지에서 답을 고른 다음, 빈칸에 넣어 글의 흐름이 자연스러운지 확인한다.

❹ 연결어

예제 ▷ 다음 글의 빈칸에 들어갈 말로 가장 적절한 것은? ✎ 고1 3월

해설 34쪽

Words

distraction 주의를 돌리는 것
shift 옮기다, 이동시키다
treat 특별한 먹거리; (특별하게) 대접하다
effective 효과적인
harmful 해로운
annoyed 짜증 난
anxious 불안한
turn to ~에 의존하다

When a child is upset, the easiest and quickest way to calm them down is to give them food. This acts as a distraction from the feelings they are having, gives them something to do with their hands and mouth and shifts their attention from whatever was upsetting them. If the food chosen is also seen as a treat such as sweets or a biscuit, then the child will feel 'treated' and happier. In the shorter term using food like this is effective. But in the longer term it can be harmful as we quickly learn that food is a good way to _____. Then as we go through life, whenever we feel annoyed, anxious or even just bored, we turn to food to make ourselves feel better.

① make friends
② learn etiquettes
③ improve memory
④ manage emotions
⑤ celebrate achievements

지문에 표시된 문장의 내용을 파악하면 빈칸에 들어갈 말을 알 수 있어요.

정답과 해설 **34**쪽

[3~4] 다음 글을 읽고 물음에 답하시오. 🖊 고1 9월 응용

> In Dutch bicycle culture, it is common to have a passenger on the backseat. So as to follow the rider's movements, the person on the backseat needs to hold on tightly. Bicycles turn not just by steering but also by leaning, so the passenger needs to lean the same way as the rider. A passenger who would keep sitting up straight would literally be a pain in the behind. On motorcycles, this is even more critical. Their higher speed requires more leaning on turns, and lack of coordination can be disastrous. The passenger is a true partner in the ride, expected to _____.

Words

passenger 승객
steer 조종하다
lean (몸을) 기울이다
literally 말 그대로
pain 골칫거리
critical 중요한
coordination 협응
disastrous 처참한

3 윗글의 빈칸에 들어갈 말로 가장 적절한 것은?

① warn other people of danger
② stop the rider from speeding
③ mirror the rider's every move
④ relieve the rider's emotional anxiety
⑤ monitor the road conditions carefully

4 윗글의 내용과 일치하지 <u>않는</u> 것은?

① 네덜란드에서는 자전거 뒷좌석에 동승자를 앉히는 것이 흔하다.
② 자전거 운전자의 움직임을 따르기 위해 뒷좌석에 앉은 사람은 꽉 잡아야 한다.
③ 자전거의 방향을 바꿀 때는 핸들의 조종보다 몸을 기울이는 것이 더 중요하다.
④ 자전거 운전자가 방향을 바꾸기 위해 몸을 기울일 때 동승자도 같은 방향으로 움직여야 한다.
⑤ 오토바이를 타고 방향을 바꿀 때는 자전거보다 몸을 더 많이 기울여야 한다.

대표 예제 1 ✎ 고1 9월 응용

다음 글의 빈칸에 들어갈 말로 가장 적절한 것은?

All improvement in your life begins with an improvement in your _____. If you talk to unhappy people and ask them what they think about most of the time, you will find that almost without fail, they think about their problems, their bills, their negative relationships, and all the difficulties in their lives. But when you talk to successful, happy people, you find that they think and talk most of the time about the things that they want to be, do, and have. They think and talk about the specific action steps they can take to get them.

① mental pictures ② physical competence
③ cooperative attitude ④ learning environment
⑤ academic achievements

Words
improvement 향상
negative 부정적인
relationship 관계
specific 구체적인
mental 정신의
competence 능력
cooperative 협력하는
attitude 태도

대표 예제 2 ✎ 고1 6월 응용

다음 글의 빈칸에 들어갈 말로 가장 적절한 것은?

There is a major problem with _____. To determine the number of objects by counting, such as determining how many apples there are on a table, many children would touch or point to the first apple and say "one," then move on to the second apple and say "two," and continue in this manner until all the apples are counted. If we start at 0, we would have to touch nothing and say "zero," but then we would have to start touching apples and calling out "one, two, three" and so on. This can be very confusing because there would be a need to stress when to touch and when not to touch.

① counting from 0 ② numbering in reverse order
③ adding up the numbers given ④ learning words through games
⑤ saying numbers in a loud voice

Words
determine 알아내다, 판단하다
object 물건, 대상
continue 계속하다
confusing 혼란시키는

개념 가이드

글의 전반부에 빈칸이 있는 경우에는 빈칸을 포함하는 문장이 주제문일 경우가 많다. [   ]이 들어 있는 문장을 먼저 확인하고, 빈칸 [   ]를 중심으로 핵심 내용을 파악한다. 🔑 빈칸, 앞뒤

대표 예제 3 🖉 고1 6월응용

다음 글의 빈칸에 들어갈 말로 가장 적절한 것은?

Humans are champion long-distance runners. As soon as a person and a chimp start running they both get hot. Chimps quickly overheat; humans do not, because they are much better at shedding body heat. According to one leading theory, ancestral humans lost their hair over successive generations because less hair meant cooler, more effective long-distance running. Try wearing a couple of extra jackets on a hot humid day and run a mile. Now, take those jackets off and try it again. You'll see what a difference _____ makes.

*shed: 떨어뜨리다

① hot weather
② a lack of fur
③ muscle strength
④ excessive exercise
⑤ a diversity of species

Words

overheat 과열되다
ancestral 선조의
successive 잇따른
generation 세대
humid 습한
lack 부족
diversity 다양성

대표 예제 4 🖉 고1 6월응용

다음 글의 빈칸에 들어갈 말로 가장 적절한 것은?

We are more likely to eat in a restaurant if we know that it is usually busy. Let's suppose you walk toward two empty restaurants. You do not know which one to enter. However, you suddenly see a group of six people enter one of them. Which one are you more likely to enter, the empty one or the other one? Most people would go into the restaurant with people in it. Let's suppose you and a friend go into that restaurant. Now, it has eight people in it. Others see that one restaurant is empty and the other has eight people in it. So, _____.

① both restaurants are getting busier
② you and your friend start hesitating
③ your decision has no impact on others'
④ they reject what lots of other people do
⑤ they decide to do the same as the other eight

Words

suppose 가정하다
empty 텅 빈
impact 영향
reject 거부하다

 개념 가이드

글의 [　　　　]을 읽으면서 글의 주제 또는 핵심 소재를 파악하고, 빈칸 앞뒤에 [　　　　]가 있는지 확인 한다.　　🅰 앞부분, 연결어

2^일 지칭 추론 / 내용 일치

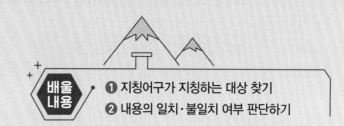

단어 미리 보기

- [ ] **acquire** *v.* 습득하다
  acquire

- [ ] **afterward** *ad.* 그 후에

- [ ] **announce** *v.* 발표하다, 알리다
  announce

- [ ] **citizenship** *n.* 시민권

- [ ] **claim** *v.* 주장하다

- [ ] **competition** *n.* 시합, 경쟁

- [ ] **critic** *n.* 비평가, 평론가

- [ ] **distress** *n.* 곤경, 고통
  distress

- [ ] **editor** *n.* 편집자

- [ ] **entrance** *n.* 입학, 입장, 출입구

- [ ] **escape** *v.* 달아나다, 탈출하다

- [ ] **exhibit** *v.* 보이다, 드러내다

- [ ] **honor** *n.* 표창, 명예

- [ ] **identity** *n.* 정체성
  identity

- [ ] **literature** *n.* 문학

- [ ] **occupation** *n.* 점령

- [ ] **promote** *v.* 승진시키다
  promote

- [ ] **recognition** *n.* 인정

- [ ] **represent** *v.* 대변하다, 나타내다

- [ ] **sprain** *v.* (손목·발목 등을) 삐다

- [ ] **starve** *v.* 굶주리다

- [ ] **suspect** *v.* 의심하다
  suspect

- [ ] **ultimately** *ad.* 결국에는

- [ ] **whisper** *v.* 속삭이다

- [ ] **ahead of** ~ 앞에

- [ ] **to no avail** 헛되이, 소용없이

2일 유형 핵심 정리 ❶

유형1 | 지칭 추론

유형 분석

1. 글 속에서 [❶]나 지칭어구가 구체적으로 지칭하는 대상을 찾는 유형이다.
2. 주로 여러 명의 등장인물이 나오는 이야기체 지문이 출제된다.

❶ 대명사

출제 의도 → 지칭하는 대상을 추론한다.

문제 해결 전략

1. 밑줄 친 부분을 먼저 확인하고, 글 속에 등장하는 [❷]을 살펴본다.
2. 글을 읽으면서 등장인물이 몇 명인지, 또 누구인지 확인한다. 특히 대명사나 지칭어구 [❸] 나오는 등장인물을 잘 살핀다.
3. 글의 내용을 종합적으로 살핀 후, 가리키는 대상이 다른 하나를 고른다.

❷ 인물

❸ 앞에

예제 | 밑줄 친 부분이 가리키는 대상이 나머지 넷과 다른 것은? ✎ 고1 3월 응용

해설 35쪽

Serene tried to do a pirouette in front of her mother but fell to the floor. Serene's mother helped ①her off the floor. She told her that she had to keep trying if she wanted to succeed. However, Serene was almost in tears. ②She had been practicing very hard the past week but she did not seem to improve. Serene's mother said that ③she herself had tried many times before succeeding at Serene's age. She had fallen so often that she sprained her ankle and had to rest for three months before she was allowed to dance again. Serene was surprised. Her mother was a famous ballerina and to Serene, ④her mother had never fallen or made a mistake in any of her performances. Listening to her mother made ⑤her realize that she had to put in more effort than what she had been doing so far.

*pirouette: 피루엣(한쪽 발로 서서 빠르게 도는 발레 동작)

Words

succeed 성공하다
in tears 눈물을 흘리며
improve 나아지다
sprain (손목·발목 등을) 삐다
ankle 발목
realize 깨닫다
put in effort 노력을 기울이다

등장인물은 Serene과 Serene의 어머니예요. 밑줄 친 대명사 앞의 등장인물을 잘 살펴보세요.

정답과 해설 36쪽

2일

[1~2] 다음 글을 읽고 물음에 답하시오. 🖉 고1 11월 응용

James Walker was a renowned wrestler. One day the leader of his town announced that James would exhibit his skills as a wrestler and asked the people if there was anyone to challenge ⓐ<u>him</u> for the prize money. Everyone was looking around in the crowd when an old man stood up and said with a shaking voice, "I will enter the contest against ⓑ<u>him</u>." When James saw the old man, he was speechless. The old man asked James to come closer since ⓒ<u>he</u> wanted to say something to him. James moved closer and the old man whispered, "I know it is impossible for me to win but my children are starving at home. Can you lose this competition to me so I can feed them with the prize money?" James thought he had an excellent opportunity to help a man in distress. ⓓ<u>He</u> did a couple of moves so that no one would suspect that the competition was fixed. However, ⓔ<u>he</u> did not use his full strength and allowed the old man to win. The old man was overjoyed when he received the prize money.

Words
renowned 유명한
wrestler 레슬링 선수
announce 발표하다, 알리다
exhibit 보이다, 드러내다
challenge 도전하다
speechless 말을 못 하는
whisper 속삭이다
starve 굶주리다
competition 시합, 경쟁
distress 곤경, 고통
suspect 의심하다

1 윗글에 등장하는 인물을 <u>모두</u> 고르면?

① James Walker ② James Walker의 아내
③ 노인 ④ 노인의 아내
⑤ 노인의 아들

2 윗글의 밑줄 친 부분이 가리키는 대상이 나머지 넷과 <u>다른</u> 것은?

① ⓐ ② ⓑ ③ ⓒ ④ ⓓ ⑤ ⓔ

2 유형 핵심 정리 ②

유형 2 내용 일치

유형 분석

1. 내용 일치(불일치)는 글 속의 ❶ [　　　]와 선택지의 내용을 비교하여 일치·불일치 여부를 판단하는 유형이다.

❶ 정보

2. 일치하는 것보다 일치하지 않는 것을 고르는 문제가 더 자주 출제된다.

출제 의도 > 글의 세부 내용을 파악한다.

문제 해결 전략

1. 일치·불일치 여부를 확인한 후 선택지를 읽어 본다.

2. 글을 읽으면서 ❷ [　　　]의 내용과 하나씩 비교한다. 선택지의 내용은 글에 언급된 ❸ [　　　] 나온다.

❷ 선택지

❸ 순서대로

3. 일치·불일치하는 선택지를 고른 후, 다시 한 번 내용을 확인한다.

예제 Elizabeth Catlett에 관한 다음 글의 내용과 일치하지 <u>않는</u> 것은? ✎고1 3월

해설 36쪽

   Elizabeth Catlett was born in Washington, D.C. in 1915. As a granddaughter of slaves, Catlett heard the stories of slaves from her grandmother. After being disallowed entrance from the Carnegie Institute of Technology because she was black, Catlett studied design and drawing at Horward University. She became one of the first three students to earn a master's degree in fine arts at the University of Iowa. Throughout her life, she created art representing the voices of people suffering from social injustice. She was recognized with many prizes and honors both in the United States and in Mexico. She spent over fifty years in Mexico, and she took Mexican citizenship in 1962.

Words

slave 노예
disallow 거절하다, 허가하지 않다
entrance 입학, 입장
master's degree 석사 학위
fine arts 순수 미술
represent 대변하다, 나타내다
suffer from ~으로 고통받다
injustice 부당함, 부정
honor 표창, 명예
citizenship 시민권

① 할머니로부터 노예 이야기를 들었다.
② Carnegie Institute of Technology로부터 입학을 거절당했다.
③ University of Iowa에서 석사 학위를 취득했다.
④ 미국과 멕시코에서 많은 상을 받았다.
⑤ 멕시코 시민권을 결국 받지 못했다.

지문의 밑줄 친 부분과 선택지의 내용을 하나씩 비교해 보세요.

정답과 해설 **36**쪽

[3~4] 다음 글을 읽고 물음에 답하시오. 고1 6월 응용

James Van Der Zee was born on June 29, 1886, in Lenox, Massachusetts. The second of six children, James grew up in a family of creative people. At the age of fourteen he received his first camera and took hundreds of photographs of his family and town. By 1906, he had moved to New York, married, and was taking jobs to support his growing family. In 1907, he moved to Phoetus, Virginia, where he worked in the dining room of the Hotel Chamberlin. During this time he also worked as a photographer on a part-time basis. He opened his own studio in 1916. World War I had begun and many young soldiers came to the studio to have their pictures taken. In 1969, the exhibition, *Harlem On My Mind*, brought him international recognition. He died in 1983.

Words

creative 창의적인
support 부양하다, 지원하다
exhibition 전시회
international 국제적인
recognition 인정

3 윗글에서 James Van Der Zee에 관해 언급하지 <u>않은</u> 것은?

① 태어난 날짜
② 태어난 곳
③ 형제 관계
④ 전시회를 개최한 장소
⑤ 사망한 연도

4 윗글의 James Van Der Zee에 관한 내용과 일치하지 <u>않는</u> 것은?

① 여섯 명의 아이들 중 둘째였다.
② 열네 살에 그의 첫 번째 카메라를 받았다.
③ Chamberlin 호텔의 식당에서 일을 했다.
④ 1916년에 자신의 스튜디오를 열었다.
⑤ 1969년에 전시회로 인해 국제적인 비난을 받았다.

대표 예제 1   ✏️ 고1 9월

밑줄 친 부분이 가리키는 대상이 나머지 넷과 다른 것은?

　The CEO of a large company stepped out of a big black limousine. As usual, he walked up the stairs to the main entrance. ①He was just about to step through the large glass doors when he heard a voice say, "I'm very sorry, sir, but I cannot let you in without ID." The security guard, who had worked for the company for many years, looked his boss straight in the eyes, showing no sign of emotion on his face. The CEO was speechless. ②He felt his pockets to no avail. He had probably left ③his ID at home. He took another look at the motionless security guard, and scratched his chin, thinking. Then ④he turned on his heels and went back to his limousine. The security guard was left standing, not knowing that by this time tomorrow, ⑤he was going to be promoted to head of security.

Words

entrance 출입구
security guard 경비원, 보안 요원
to no avail 헛되이, 소용없이
motionless 움직이지 않는
scratch 긁다
chin 턱
heel 발뒤꿈치
promote 승진시키다

대표 예제 2   ✏️ 고1 3월 응용

밑줄 친 부분이 가리키는 대상이 나머지 넷과 다른 것은?

　Meghan Vogel was tired. She had just won the 2012 state championship in the 1,600-meter race. She was so exhausted afterward that she was in last place toward the end of her next race, the 3,200 meters. As she came around the final turn in the long race, the runner in front of ①her, Arden McMath, fell to the ground. ②She stopped and helped McMath to her feet. Together, they walked the last 30 meters. Vogel guided ③her to the finish line. And then she gave McMath a gentle push across it, just ahead of Vogel herself. Later, Vogel's hometown held a parade in ④her honor. It wasn't because of the race where she finished first. It was because of the race where ⑤she finished last.

Words

championship 선수권 대회
exhausted 기진맥진한
afterward 그 후에
to one's feet 일어서 있는
ahead of ~ 앞에

✦ 개념 가이드

밑줄 친 부분을 먼저 확인하고, 글을 읽으면서 [　　　　]이 몇 명인지, 또 누구인지 확인한다. 특히 [　　　　]나 지칭어구 앞에 나오는 등장인물을 잘 살핀다.　　🅐 등장인물, 대명사

대표 예제 3 📝 고1 6월 응용

Words

acquire 습득하다
literature 문학
in particular 특히
unconcerned 무관심한
escape 달아나다, 탈출하다
occupation 점령

Sigrid Undset에 관한 다음 글의 내용과 일치하지 <u>않는</u> 것은?

　Sigrid Undset was born on May 20, 1882, in Kalundborg, Denmark. She moved to Norway at the age of two. At the age of sixteen, she got a job at an engineering company to support her family. She read a lot, acquiring a good knowledge of Nordic as well as foreign literature, English in particular. She wrote thirty six books. None of her books leaves the reader unconcerned. She received the Nobel Prize for Literature in 1928. She escaped Norway during the German occupation, but she returned after the end of World War II.　　　　　　　　　　*Nordic: 북유럽 사람(의)

① 덴마크에서 태어났다.　　　　　　② 2살 때 노르웨이로 이주하였다.
③ 1928년에 노벨 문학상을 수상하였다.　④ 16세에 가족을 부양하기 위해 취업하였다.
⑤ 독일 점령 기간 중 노르웨이를 탈출한 후, 다시 돌아오지 않았다.

대표 예제 4 📝 고1 9월 응용

Words

editor 편집자
fiction 소설, 허구
critic 비평가, 평론가
ultimately 결국에는
claim 주장하다
identity 정체성

Jessie Redmon Fauset에 관한 다음 글의 내용과 일치하지 <u>않는</u> 것은?

　Jessie Redmon Fauset was born in Snow Hill, New Jersey, in 1884. She was the first black woman to graduate from Cornell University. In addition to writing novels, poetry, and essays, Fauset taught French in public schools in Washington, D.C. and worked as a journal editor. Though she is more famous for being an editor than for being a fiction writer, many critics consider her novel *Plum Bun* Fauset's strongest work. In it, she tells the story of a black girl who could pass for white but ultimately claims her racial identity and pride. Fauset died of heart disease April 30, 1961 in Philadelphia.　　　　*pass for: ~으로 여겨지다

① Cornell University를 졸업한 최초의 흑인 여성이었다.
② Washington, D.C.의 공립학교에서 프랑스어를 가르쳤다.
③ 편집자보다는 소설가로서 더 유명하다.
④ 흑인 소녀의 이야기를 다룬 소설을 썼다.
⑤ Philadelphia에서 심장병으로 사망했다.

개념 가이드

일치하는 것보다 일치하지 않는 것을 고르는 문제가 더 자주 출제된다. ＿＿＿＿＿를 먼저 읽어 본 후, 글을 읽으면서 ＿＿＿＿＿의 내용과 하나씩 비교한다.　　🅐 선택지, 선택지

3일 도표 / 안내문

단어 미리 보기

check~

☐ **access** *v.* 접근하다, 접속하다

☐ **accompany** *v.* 동반하다

accompany

☐ **category** *n.* 부문

☐ **certificate** *n.* 증명서

☐ **consider** *v.* 여기다, 생각하다

☐ **creativity** *n.* 창의력, 창조성

☐ **deadline** *n.* 마감

☐ **device** *n.* 기기, 장치

device

☐ **entry** *n.* 참가 (신청)

☐ **experience** *n.* 경험

experience

☐ **follow** *v.* ~의 뒤를 잇다

☐ **goat** *n.* 염소

☐ **hands-on** *a.* 직접 해 보는, 실제 체험하는

☐ **include** *v.* 포함하다

☐ **kindergarten** *n.* 유치원

☐ **maximum** *n.* 최고, 최대

☐ **overtake** *v.* 추월하다

over take

☐ **participation** *n.* 참가, 참여

☐ **period** *n.* 기간

☐ **pick** *v.* 따다, 줍다

☐ **rank** *v.* 순위를 차지하다

☐ **register** *v.* 등록하다

☐ **select** *v.* 선택하다

select

☐ **connect to** ~와 접속[연락]하다

☐ **regardless of** ~에 관계없이

☐ **sign up** 등록하다

유형 1 ｜ 도표

유형 분석

1. 도표는 특정 제목 아래 **❶** 가 제시되고, 그래프에서 알 수 있는 전반적인 경향, 세부 항목 수치 등을 설명하는 각 문장의 진위 여부를 판별하는 유형이다.

❶ 그래프

2. 가로·세로 막대 그래프, 꺾은 선 그래프, **❷** 등 다양한 형태로 출제된다.

❷ 원 그래프

출제 의도 ◁ 도표의 내용을 파악한다.

문제 해결 전략

1. 도표의 **❸** 을 먼저 읽고 무엇에 관한 것인지 확인한다. 도표의 **❹** , 세로축, 범례에 관한 정보도 함께 확인한다.

❸ 제목

❹ 가로축

2. 선택지와 도표의 내용을 하나씩 대조하여 일치하지 않는 것을 고른 후, 다시 한 번 확인한다.

예제 ｜ 다음 도표의 내용과 일치하지 <u>않는</u> 것은? ✎ 고1 3월

해설 37쪽

Words

kindergarten 유치원
device 기기, 장치
access 접근하다, 접속하다
laptop 노트북 (컴퓨터)
a third 3분의 1
e-reader 전자책 단말기
rank 순위를 차지하다

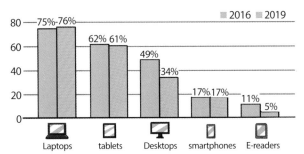

Devices Students Used to Access Digital Content

■2016 ■2019

Laptops 75%-76% / tablets 62% 61% / Desktops 49% 34% / smartphones 17% 17% / E-readers 11% 5%

The above graph shows the percentage of students from kindergarten to 12th grade who used devices to access digital educational content in 2016 and in 2019. ①Laptops were the most used device for students to access digital content in both years. ②Both in 2016 and in 2019, more than 6 out of 10 students used tablets. ③More than half the students used desktops to access digital content in 2016, and more than a third used desktops in 2019. ④The percentage of smartphones in 2016 was the same as that in 2019. ⑤E-readers ranked the lowest in both years, with 11 percent in 2016 and 5 percent in 2019.

그래프에서 Desktops 항목의 2016년 비율을 확인해 보세요.

3일

[1~2] 다음 글을 읽고 물음에 답하시오. 고1 6월 응용

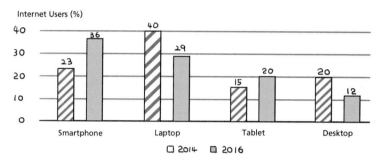

Most Important Device for Internet Access: 2014 and 2016 in UK

The above graph shows what devices British people considered the most important when connecting to the Internet in 2014 and 2016. ⓐ More than a third of UK Internet users considered smartphones to be their most important device for accessing the Internet in 2016. ⓑIn the same year, the smartphone overtook the laptop as the most important device for Internet access. ⓒIn 2014, UK Internet users were the least likely to select a tablet as their most important device for Internet access. ⓓIn contrast, they were the least likely to consider a desktop as their most important device for Internet access in 2016. ⓔThe proportion of UK Internet users who selected a desktop as their most important device for Internet access increased by half from 2014 to 2016.

*proportion: 비율

Words

consider 여기다, 생각하다
connect to ~와 접속[연락]하다
overtake 추월하다
select 선택하다
increase 증가하다

1 위 도표에서 2016년도에 인터넷 접속을 위한 장치로 가장 많이 선택한 것이 무엇인지 쓰시오.

➡ _____

2 위 도표의 내용과 일치하지 <u>않는</u> 것은?

① ⓐ ② ⓑ ③ ⓒ ④ ⓓ ⑤ ⓔ

유형 2 안내문

유형 분석

1. 특정 행사나 대회 등에 관한 [❶____]를 안내하는 실용문이 제시된다.   ❶ 정보
2. 행사나 대회의 [❷____], 일시, 대상, 세부 활동 등의 내용을 보고 일치하지 않는 것을 고르는 유형이다.   ❷ 목적

출제 의도 → 실용문의 세부 내용을 파악한다.

문제 해결 전략

1. 안내문의 [❸____]을 먼저 읽고 무엇에 관한 것인지 확인한다.   ❸ 제목
2. 선택지의 내용과 안내문의 내용을 하나씩 대조해 본다.
3. 일치하거나 일치하지 않는 것을 고른 후, 안내문과 다시 한 번 비교하며 확인한다.

[예제] Spring Farm Camp에 관한 다음 안내문의 내용과 일치하지 <u>않는</u> 것은? ✎ 고1 3월   해설 37쪽

> **Spring Farm Camp**
> Our one-day spring farm camp gives your kids
> true, hands-on farm experience.
>
> **When:** Monday, April 19 – Friday, May 14
> **Time:** 9 a.m. – 4 p.m.
> **Ages:** 6 – 10
> **Participation Fee:** $70 per person (lunch and snacks included)
> **Activities:** • making cheese from goat's milk
> • picking strawberries
> • making strawberry jam to take home
> We are open rain or shine.
> For more information, go to www.b_orchard.com.

① 6세~10세 어린이가 참가할 수 있다.   ② 참가비에 점심과 간식이 포함되어 있다.
③ 염소젖으로 치즈를 만드는 활동을 한다.   ④ 딸기잼을 만들어 집으로 가져갈 수 있다.
⑤ 비가 오면 운영하지 않는다.

안내문에 표시된 부분을 선택지와 하나씩 비교해 보세요.

정답과 해설 **38**쪽

3일

Words

creativity 창의력, 창조성
period 기간
participation 참가, 참여
maximum 최고, 최대
register 등록하다
regardless of ~에 관계없이
sign up 등록하다

[3~4] 다음 글을 읽고 물음에 답하시오. 고1 6월응용

Summer Camp 2019

This is a great opportunity for developing social skills and creativity!

Period & Participation
- July 1 – 5 (Monday – Friday)
- 8 – 12 year olds (maximum 20 students per class)

Programs
- Cooking
- Outdoor Activities (hiking, rafting, and camping)

Cost
- Regular: $100 per person
- Discounted: $90 (if you register by June 15)

Notice
- The programs will run regardless of weather conditions.
- To sign up, email us at summercamp@standrews.com.

For more information, visit our website: www.standrews.com.

---

3 위 Summer Camp 2019에 관한 안내문의 내용과 일치하는 것은?

① 참가 연령 제한이 없다.

② 야외 프로그램은 운영되지 않는다.

③ 할인된 가격은 100달러이다.

④ 기상 조건에 관계없이 프로그램이 진행될 것이다.

⑤ 이메일을 통해 등록을 할 수 없다.

4 위 Summer Camp 2019에서 비용 할인을 받을 수 있는 방법을 우리말로 쓰시오.

➡ _____

3^일 적중 예상 베스트

다음 도표의 내용과 일치하지 <u>않는</u> 것은?

Words

native speaker 원어민
in terms of ~라는 면에서
follow ~의 뒤를 잇다
least 가장 적은

The Most Spoken Languages Worldwide in 2015

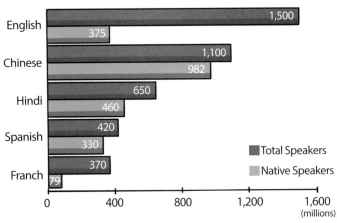

• Note: Total Speakers = Native Speakers + Non-native Speakers

   The above graph shows the numbers of total speakers and native speakers of the five most spoken languages worldwide in 2015. ①English is the most spoken language worldwide, with 1,500 million total speakers. ②Chinese is second on the list with 1,100 million total speakers. ③In terms of the number of native speakers, however, Chinese is the most spoken language worldwide, followed by Hindi. ④The number of native speakers of English is smaller than that of Spanish. ⑤French is the least spoken language among the five in terms of the number of native speakers.

🔹 **개념 가이드**

도표의 [   ], 가로축, 세로축, 범례에 관한 정보를 확인한 후, [   ]의 내용과 도표의 내용을 하나   🔲 제목, 선택지
씩 대조해 본다.

대표 예제 2 ✎고1 3월 응용

Waverly High School Friendly Chess Tournament에 관한 다음 안내문의 내용과 일치하지 <u>않는</u> 것은?

Words

auditorium 강당
entry 참가 (신청)
deadline 마감
category 부문
participant 참가자
certificate 증명서

Waverly High School Friendly Chess Tournament
Saturday, March 23, 10 a.m.

- **Where:** Waverly High School auditorium
- **Entry Deadline:** March 22, 4 p.m.
- **Age Categories:** 7–12, 13–15, 16–18
- **Prizes:** Gold, Silver, and Bronze for each category
  – Prize-giving Ceremony: 3 p.m.
  – Every participant will receive a certificate for entry!

① 시상식은 오후 3시에 있다.　② 참가자 전원에게 참가 증명서를 준다.
③ Waverly 고등학교 강당에서 열린다.　④ 각 부문별로 금상, 은상, 동상을 수여한다.
⑤ 참가 신청 마감은 3월 23일 오전 10시이다.

대표 예제 3 ✎고1 11월 응용

Crystal Castle Fireworks에 관한 다음 안내문의 내용과 일치하는 것은?

Words

firework display 불꽃놀이
accompany 동반하다

Crystal Castle Fireworks
Come and enjoy the biggest fireworks display in the Southwest of England!
Dates: 5th & 6th December, 2020
Location: Crystal Castle, 132 Oak Street
Time: 16:30 – 17:30 Live Music Show
　　　18:00 – 18:30 Fireworks Display
Parking: Free car park opens at 14:00.
Note: Any child aged 12 or under must be accompanied by an adult.

① 영국의 북부 지역에서 가장 큰 불꽃놀이이다.
② 라이브 음악 쇼가 불꽃놀이 이후에 진행된다.
③ 불꽃놀이는 1시간 동안 진행된다.
④ 주차장은 오후 2시부터 유료로 이용 가능하다.
⑤ 12세 이하의 아동은 성인과 동행해야 한다.

 개념 가이드

안내문의 [　　　]을 먼저 읽고 무엇에 관한 내용인지 확인한 후, [　　　]의 내용과 안내문의 내용을 하나씩 대조해 본다.　🅐 제목, 선택지

4일 심경·분위기 / 밑줄 친 부분의 의미 파악

오빠! 글의 분위기나 등장인물의 심경을 파악하는 문제를 쉽게 풀려면 어떻게 해야 돼?

등장인물이 처한 상황이나 사건을 잘 알아야지. 그리고 분위기나 심리 상태를 나타내는 어휘를 알고 있어야 해.

자주 쓰이는 어휘 좀 알려줘.

몇 개만 알려줄게. surprised는 '놀란,' pleased는 '기쁜,' nervous는 '초조한' 등이 있어. 나머지는 네가 더 찾아봐.

알겠어. 고마워.

Quiz

1 초조한 심경을 나타내는 말로 nervous / concerned 가 적절하다.

2 재미있는 분위기를 나타내는 말로 monotonous / humorous 가 적절하다.

답 1 nervous 2 humorous

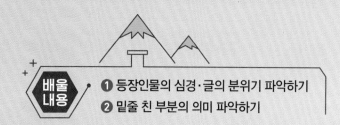
단어
미리 보기

check~

☐ admire   *v.* 감탄하다

admire

☐ analysis   *n.* 분석

☐ argument   *n.* 논쟁

☐ attentive   *a.* 주의 깊은

☐ blinded   *a.* 눈이 먼

☐ deficiency   *n.* 결핍, 부족

☐ doubtful   *a.* 의문의 여지가 있는

☐ exhausted   *a.* 기진맥진한

exhausted

☐ forcibly   *ad.* 강제적으로, 강력하게

☐ grief   *n.* 큰 슬픔, 비탄

☐ impress   *v.* 좋은 인상을 주다

☐ indeed   *ad.* 정말로

☐ indifferent   *a.* 무관심한

☐ intentionally   *ad.* 의도적으로

☐ pray   *v.* 기도하다

☐ reaction   *n.* 반응

☐ reckless   *a.* 무모한

☐ remove   *v.* 벗다, 제거하다

☐ significant   *a.* 의미가 있는, 중요한

Significant

☐ sink   *v.* 가라앉다

☐ surface   *n.* 표면, 외부

☐ trait   *n.* 특성

☐ translate   *v.* 바꾸다, 번역하다, 고치다

translate

☐ tremble   *v.* 떨리다, 흔들리다

☐ virtual   *a.* 가상의

virtual

☐ virtue   *n.* 미덕

4 일 유형 핵심 정리 ①

유형 1 심경·분위기

유형 분석

1. 글에 드러난 등장인물의 [❶_____]나 글의 전반적인 상황을 파악하는 유형이다.

2. 글에는 묘사하는 내용이 많고 선택지에도 심경이나 [❷_____]를 묘사는 어휘들이 제시된다.

❶ 심리 상태

❷ 분위기

출제 의도

등장인물의 심경이나 글의 분위기를 추론한다.

문제 해결 전략

1. 글에서 등장인물이 처한 상황이나 일어나고 있는 사건을 파악한다.

2. 글을 읽으며 등장인물의 기분이나 심리 상태, 또는 분위기를 나타내는 [❸_____]를 파악한다.

❸ 어휘

- 심경: 놀란(surprised, amazed), 기쁜(pleased, amused), 화난·짜증난(angry, upset, annoyed), 초조한(nervous, uneasy), 걱정되는(worried, concerned), 당황한(confused, puzzled), 우울한(depressed), 실망한(disappointed), 좌절한(frustrated), 지루한(bored), 느긋한(relaxed), 안도한(relieved)

- 분위기: 흥미진진한(exciting), 유쾌한(cheerful), 재미있는(humorous), 평화로운(peaceful), 차분한(calm), 급박한(urgent), 우울한(gloomy), 활기찬(lively), 단조로운(monotonous)

3. 등장인물이 처한 상황과 어휘 단서를 통해 심경이나 분위기를 파악한다.

예제 다음 글에 드러난 Shirley의 심경으로 가장 적절한 것은? 🖉 고1 3월

해설 38쪽

Words

notice 알아차리다
park 주차하다
neighbor 이웃
joyfully 기쁘게
playmate 놀이 친구
pray 기도하다
jealous 질투하는

> On the way home, Shirley noticed a truck parked in front of the house across the street. New neighbors! Shirley was dying to know about them. "Do you know anything about the new neighbors?" she asked Pa at dinner. He said, "Yes, and there's one thing that may be interesting to you." Shirley had a billion more questions. Pa said joyfully, "They have a girl just your age. Maybe she wants to be your playmate." Shirley nearly dropped her fork on the floor. How many times had she prayed for a friend? Finally, her prayers were answered! She and the new girl could go to school together, play together, and become best friends.

① curious and excited
② sorry and upset
③ jealous and annoyed
④ calm and relaxed
⑤ disappointed and unhappy

지문의 밑줄 친 문장에서 Shirley의 심경을 알 수 있어요.

 유형 확인 문제

정답과 해설 39쪽

[1~2] 다음 글을 읽고 물음에 답하시오. 고1 3월 응용

I was diving alone in about 40 feet of water when I got a terrible stomachache. I was sinking and hardly able to move. I could see my watch and knew there was only a little more time on the tank before I would be out of air. It was hard for me to remove my weight belt. Suddenly I felt a prodding from behind me under the armpit. My arm was being lifted forcibly. Around into my field of vision came an eye. It seemed to be smiling. It was the eye of a big dolphin. Looking into that eye, I knew I was safe. I felt that the animal was protecting me, lifting me toward the surface.

*prodding: 쿡 찌르기

Words

sink 가라앉다
hardly 거의 ~ 않는
remove 벗다, 제거하다
weight belt 웨이트 벨트 (잠수, 운동 때 무게를 더하기 위해 착용하는 벨트, 재킷)
armpit 겨드랑이
forcibly 강제적으로, 강력하게
protect 보호하다
surface 표면, 외부

1 윗글의 내용과 일치하지 <u>않는</u> 것은?

① 글쓴이는 40피트 정도의 물속에서 혼자 잠수하고 있었다.
② 글쓴이는 잠수하고 있을 때 배가 아팠다.
③ 글쓴이는 물속에서 거의 움직일 수 없었다.
④ 산소 탱크 잔여 시간이 조금 밖에 없었다.
⑤ 글쓴이는 돌고래의 눈을 보고 두려움을 느꼈다.

2 윗글에 드러난 'I'의 심경 변화로 가장 적절한 것은?

① excited → bored
② pleased → angry
③ jealous → thankful
④ proud → embarrassed
⑤ frightened → relieved

4 유형 핵심 정리 ②

유형 2 | 밑줄 친 부분의 의미 파악

유형 분석

1. 글 속에서 밑줄 친 어구나 절의 ❶ [   ]를 찾는 유형이다.

❶ 함축적 의미

출제 의도 → 어구의 함축적 의미를 파악한다.

문제 해결 전략

1. 밑줄 친 어구를 포함한 ❷ [   ]을 먼저 확인한다.

❷ 문장

2. ❸ [   ]를 읽으며 흐름을 파악한다.

❸ 글 전체

3. 선택지를 고른 후, 밑줄 친 부분과 의미가 통하는지 다시 보며 확인한다.

예제 | 밑줄 친 translate it from the past tense to the future tense가 다음 글에서 의미하는 바로 가장 적절한 것은? ✎ 고1 3월 응용

해설 40쪽

Get past the 'I wish I hadn't done that!' reaction. If the disappointment you're feeling is linked to an exam you didn't pass because you didn't study for it, or a person you didn't impress because you took entirely the wrong approach, accept that it's *happened* now. The only value of 'I wish I hadn't done that!' is that you'll know better what to do next time. The learning pay-off is useful and significant. This 'if only I ...' agenda is virtual. Once you have worked that out, it's time to translate it from the past tense to the future tense: 'Next time I'm in this situation, I'm going to try to ...'. *agenda: 의제 **tense: 시제

① look for a job linked to your interest
② get over regrets and plan for next time
③ surround yourself with supportive people
④ study grammar and write clear sentences
⑤ examine your way of speaking and apologize

Words

reaction 반응
disappointment 실망
link 연결하다
impress 좋은 인상을 주다
approach 접근 방법
pay-off 이득
significant 의미가 있는, 중요한
virtual 가상의
work ~ out ~을 파악하다
translate 바꾸다, 번역하다, 고치다

지문에 표시된 문장의 내용을 파악하면 밑줄 친 말의 의미를 알 수 있어요.

정답과 해설 **39**쪽

[3~4] 다음 글을 읽고 물음에 답하시오. 🖉 고1 3월 응용

Technology has doubtful advantages. We must balance too much information versus using only the right information and keeping the decision-making process simple. The Internet has made so much free information available on any issue that we think we have to consider all of it in order to make a decision. So we keep searching for answers on the Internet. This makes us <u>information blinded</u>, like deer in headlights, when trying to make personal, business, or other decisions. To be successful in anything today, we have to keep in mind that in the land of the blind, a one-eyed person can accomplish the seemingly impossible. The one-eyed person understands the power of keeping any analysis simple and will be the decision maker when he uses his one eye of intuition. *intuition: 직관

Words
doubtful 의문의 여지가 있는
advantage 이점, 장점
balance ~ versus ... ...에 맞추어 ~을 조절하다
consider 고려하다
blinded 눈이 먼
keep in mind 명심하다
accomplish 이루다
seemingly 겉보기에
analysis 분석

4일

3 윗글에서 정보에 눈먼 사람을 비유한 말을 찾아 쓰시오.

➡ _____

4 윗글의 밑줄 친 information blinded가 의미하는 바로 가장 적절한 것은?

① unwilling to accept others' ideas
② unable to access free information
③ unable to make decisions due to too much information
④ indifferent to the lack of available information
⑤ willing to take risks in decision-making

대표 예제 1 ✎ 고1 11월

다음 글에 드러난 'I'의 심경 변화로 가장 적절한 것은?

On my seventh birthday, my mom surprised me with a puppy waiting on a leash. It had beautiful golden fur and an adorable tail. It was exactly what I had always dreamed of. I took the dog everywhere and slept with it every night. A few months later, the dog got out of the backyard and was lost. I sat on my bed and cried for hours while my mother watched me silently from the doorway of my room. I finally fell asleep, exhausted from my grief. My mother never said a word to me about my loss, but I knew she felt the same as I did.

① delighted → sorrowful
② relaxed → annoyed
③ embarrassed → worried
④ excited → horrified
⑤ disappointed → satisfied

Words

leash (개 등을 메어 두는) 가죽끈
adorable 사랑스러운
exhausted 기진맥진한
grief 큰 슬픔, 비탄
horrified 겁에 질린

대표 예제 2 ✎ 고1 9월 응용

다음 글에 드러난 Salva의 심경 변화로 가장 적절한 것은?

Salva had to raise money for a project to help southern Sudan. It was the first time that Salva spoke in front of an audience. Salva's knees were shaking as he walked to the microphone. "H-h-hello," he said. His hands trembling, he looked out at the audience. Everyone was looking at him. At that moment, he noticed that every face looked interested in what he had to say. People were smiling and seemed friendly. That made him feel a little better, so he spoke into the microphone again. "Hello," he repeated. He smiled, feeling at ease, and went on. "I am here to talk to you about a project for southern Sudan."

① nervous → relieved
② indifferent → excited
③ worried → disappointed
④ satisfied → frustrated
⑤ confident → embarrassed

Words

raise money 모금하다
audience 관중
tremble 떨다, 흔들리다
indifferent 무관심한
frustrated 좌절감을 느끼는
confident 자신감 있는

개념 가이드

등장인물이 처한 상황이나 일어나고 있는 사건을 파악한다. 글을 읽으며 등장인물의 [   ]이나 심리 상태, 또는 [   ]를 나타내는 어휘를 찾는다.   🔒 기분, 분위기

대표 예제 3 🖉고1 6월 응용

다음 글의 밑줄 친 at the "sweet spot"이 의미하는 바로 가장 적절한 것은?

For almost all things in life, there can be too much of a good thing. Even the best things in life aren't so great in excess. This concept has been discussed at least as far back as Aristotle. He argued that being virtuous means finding a balance. For example, people should be brave, but if someone is too brave they become reckless. For each of these traits, it is best to avoid both deficiency and excess. The best way is to live at the "sweet spot" that maximizes well-being. Aristotle's suggestion is that virtue is the midpoint.

Words

virtuous 도덕적인
reckless 무모한
trait 특성
deficiency 결핍, 부족
maximize 극대화하다
well-being 행복
virtue 미덕
midpoint 중간 지점
biased 편향된, 선입견이 있는

① at the time of a biased decision
② in the area of material richness
③ away from social pressure
④ in the middle of two extremes
⑤ at the moment of instant pleasure

대표 예제 4 🖉고1 3월

다음 글의 밑줄 친 "rise to the bait"가 의미하는 바로 가장 적절한 것은?

We all know that tempers are one of the first things lost in many arguments. It's easy to say one should keep cool, but how do you do it? The point to remember is that sometimes in arguments the other person is trying to get you to be angry. They may be saying things that are intentionally designed to annoy you. They know that if they get you to lose your cool you'll say something that sounds foolish; you'll simply get angry and then it will be impossible for you to win the argument. So don't fall for it. A remark may be made to cause your anger, but responding with a cool answer that focuses on the issue raised is likely to be most effective. Indeed, any attentive listener will admire the fact that you didn't "rise to the bait."

Words

lose temper 화내다
argument 논쟁
intentionally 의도적으로
fall for ~에 속아 넘어가다
make a remark 말을 하다
respond 대응하다
effective 효과적인
indeed 정말로
attentive 주의 깊은
admire 감탄하다
rise to the bait 미끼를 물다

① stay calm
② blame yourself
③ lose your temper
④ listen to the audience
⑤ apologize for your behavior

 개념 가이드

글 속에서 밑줄 친 어구의 함축적 의미를 찾는 유형이다. ☐☐☐☐☐를 포함한 문장을 먼저 확인한 후, 글 전체를 읽으며 흐름을 파악한다. 🇦 밑줄 친 어구

5 일 어법 / 어휘

나는 영어 문법 문제가 제일 어려운 것 같아.

자주 출제되는 문법 사항을 먼저 공부해봐.

그렇구나... 그 중에 뭘 먼저 공부해야 하지?

그것까지 내가 알려줘야 하니?

그런 게 있어? 어떤 문제가 자주 나오니?

주어와 동사의 수 일치, 관계대명사, to부정사와 동명사, 분사구문 등이 자주 출제되는 것 같아.

Quiz

1 동명사가 주어일 때 be동사는 is / are 를 쓴다.

2 현재분사 / 과거분사 는 능동·진행의 의미를, 현재분사 / 과거분사 는 수동·완료의 의미를 나타낸다.

답 1 is 2 현재분사, 과거분사

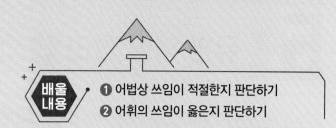

단어 미리 보기

check~

- [ ] appearance *n.* 외관, 모습
- [ ] artificial *a.* 인공적인
- [ ] assessment *n.* 평가
- [ ] complex *a.* 복잡한
- [ ] constantly *ad.* 끊임없이
- [ ] efficient *a.* 효율적인

  efficient

- [ ] enhance *v.* 향상시키다

  enhance

- [ ] eventually *ad.* 결국
- [ ] expert *n.* 전문가
- [ ] explore *v.* 탐구하다, 탐험하다

  explore

- [ ] fundamental *a.* 기본적인, 중요한
- [ ] identify *v.* 알아보다, 확인하다
- [ ] ingredient *n.* 재료

- [ ] instruction *n.* 가르침, 지도
- [ ] marvelously *ad.* 놀랍게도
- [ ] method *n.* 방법
- [ ] organ *n.* 기관, 장기
- [ ] perceive *v.* 인식하다, 여기다

  perceive

- [ ] potential *n.* 잠재력
- [ ] prove *v.* 증명하다
- [ ] relevant *a.* 유의미한, 관련된
- [ ] resist *v.* 저항하다

  resist

- [ ] reveal *v.* 드러내 보이다

  reveal

- [ ] struggle *n.* 힘든 일, 투쟁
- [ ] theory *n.* 이론, 학설
- [ ] universe *n.* 우주

유형 핵심 정리 ①

유형 1 어법

유형 분석

1. 밑줄 친 표현 중 어법상 맞지 않는 것 하나를 고르는 유형과, 두 개의 표현 중 어법상 맞는 것을 선택하는 유형으로 출제된다.

2. 단편적인 문법 지식보다는 문맥을 통해 **❶** 　　　를 파악해서 문제를 풀 수 있어야 한다.

❶ 문장 구조

출제 의도 　◁ 어법상 쓰임이 적절한지 판단한다.

문제 해결 전략

1. 지문에 밑줄 친 부분의 어법 항목을 먼저 살펴본다.
   • 긴 주어나 동명사구, 명사절 등이 주어로 올 때 동사의 **❷** 　　　

❷ 수 일치

   • 접속사 that, 관계대명사 which와 what, 관계부사 where, when 등의 쓰임
   • to부정사/동명사의 목적어, 또는 병렬 구조
   • 명사를 수식하는 형용사와 동사를 수식하는 **❸** 　　　의 형태 주의

❸ 부사

   • 분사구문 또는 분사의 형태(능동/수동) 등 주의

2. 글을 읽으면서 해당 어법 부분의 문맥과 문장 구조를 파악하여 바르게 쓰였는지 확인한다.

예제 다음 글의 밑줄 친 부분 중, 어법상 틀린 것은? ✎ 고1 3월

해설 40쪽

Although there is usually a correct way of holding and playing musical instruments, the most important instruction to begin with is ①that they are not toys and that they must be looked after. ②Allow children time to explore ways of handling and playing the instruments for themselves before showing them. Finding different ways to produce sounds ③are an important stage of musical exploration. Correct playing comes from the desire ④to find the most appropriate sound quality and find the most comfortable playing position so that one can play with control over time. As instruments and music become more complex, learning appropriate playing techniques becomes ⑤increasingly relevant.

Words

instruction 가르침, 지도
look after ~을 관리하다, 보살피다
explore 탐구하다, 탐험하다
handle 다루다
desire 욕구, 욕망
appropriate 알맞은
complex 복잡한
relevant 유의미한, 관련된

동명사구 주어는
단수로 취급해요.

정답과 해설 41쪽

[1~2] 다음 글을 읽고 물음에 답하시오. 🖊고1 9월 응용

Although it is obvious that part of our assessment of food is its visual appearance, it is perhaps surprising ①how visual input can override taste and smell. People find it very ②difficult to correctly identify fruit-flavoured drinks if the colour is wrong, for instance an orange drink that is coloured green. Perhaps even more striking ③is the experience of wine tasters. One study of Bordeaux University students of wine and wine making revealed that they chose tasting notes appropriate for red wines, such as 'prune and chocolate', when ⓐthey ④gave white wine coloured with a red dye. Experienced New Zealand wine experts were similarly tricked into thinking ⑤that the white wine Chardonnay was in fact a red wine, when it had been coloured with a red dye.

*override: ~에 우선하다 **prune: 자두

Words

assessment 평가
appearance 외관, 모습
input 입력, 투입
identify 알아보다, 확인하다
striking 눈에 띄는, 인상적인
reveal 드러내 보이다
dye 색소, 염료
expert 전문가
trick ~ into ... ~를 속여서 …
하게 하다

1 윗글의 밑줄 친 ⓐ they가 가리키는 것을 본문에서 찾아 쓰시오.

➡ _____

2 윗글의 밑줄 친 부분 중, 어법상 틀린 것은?

유형 핵심 정리 ②

유형 분석

1. 밑줄 친 어휘 중 잘못 쓰인 것을 고르거나, 둘 중에서 흐름에 맞는 어휘를 선택하는 유형으로 출제된다.

2. ❶ ⬚ 가 비슷하거나 ❷ ⬚ 가 반대되어 혼동할 수 있는 어휘가 자주 제시된다.

❶ 철자
❷ 의미

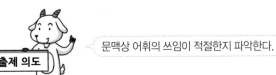

문맥상 어휘의 쓰임이 적절한지 파악한다.

문제 해결 전략

1. 문제로 제시된 부분의 어휘들을 먼저 살핀 후, 글의 중심 내용을 파악한다.

2. 글을 읽으면서 어휘의 ❸ ⬚ 이 글의 흐름에 맞게 쓰였는지 판단한다.

❸ 뜻

3. 알맞은 어휘 또는 잘못 쓰인 어휘를 고른 후, 글을 다시 읽으며 내용이 자연스러운지 확인한다.

예제 다음 글의 밑줄 친 부분 중, 문맥상 낱말의 쓰임이 적절하지 <u>않은</u> 것은? ✐고1 3월

해설 41쪽

When the price of something fundamental drops greatly, the whole world can change. Consider light. Chances are you are reading this sentence under some kind of artificial light. Moreover, you probably never thought about whether using artificial light for reading was worth it. Light is so ①cheap that you use it without thinking. But in the early 1800s, it would have cost you four hundred times what you are paying now for the same amount of light. At that price, you would ②notice the cost and would think twice before using artificial light to read a book. The ③increase in the price of light lit up the world. Not only did it turn night into ④day, but it allowed us to live and work in big buildings that ⑤natural light could not enter.

Words

fundamental 기본적인, 중요한
drop 하락하다
chances are 아마 ~일 것이다
artificial 인공적인
amount 양
notice 의식하다
increase 증가, 상승
turn ~ into ... ~을 …으로 바꾸다

첫 문장이 주제문
이므로 그 내용에
맞지 않는 낱말을
찾으세요.

정답과 해설 41쪽

[3~4] 다음 글을 읽고 물음에 답하시오. ✎고1 3월응용

We often ignore small changes because they don't seem to ①matter very much in the moment. If you save a little money now, you're still not a millionaire. If you study Spanish for an hour tonight, you still haven't learned the language. We make a few changes, but the results never seem to come ②quickly and so we slide back into our previous routines. The slow pace of transformation also makes it ③easy to break a bad habit. If you eat an unhealthy meal today, the scale doesn't move much. A single decision is easy to ignore. But when we ④repeat small errors, day after day, by following poor decisions again and again, our small choices add up to bad results. Many missteps eventually lead to a ⑤problem.

Words

ignore 무시하다
matter 중요하다
in the moment 당장은
millionaire 백만장자
previous 이전의, 앞의
routine 일상의 일
transformation 변화, 변형
scale 저울, 눈금
decision 결정
misstep 실수
eventually 결국

5일

3 윗글의 밑줄 친 부분 중, 문맥상 낱말의 쓰임이 적절하지 <u>않은</u> 것은?

4 윗글의 내용과 일치하지 <u>않는</u> 것은?

① 우리는 흔히 작은 변화들을 무시한다.

② 지금 돈을 약간 모아도 여러분은 백만장자가 아니다.

③ 스페인어를 한 시간 동안 공부해도 여러분은 그 언어를 익힌 것은 아니다.

④ 오늘 몸에 좋지 않은 음식을 먹어도 저울 눈금이 크게 움직이지 않는다.

⑤ 작은 오류를 나날이 반복하는 것은 결과에 별로 영향을 미치지 않는다.

5 ^일 적중 예상 베스트

대표 예제 1 　　✎ 고1 3월

다음 글의 밑줄 친 부분 중, 어법상 틀린 것은?

　"You are what you eat." That phrase is often used to ①show the relationship between the foods you eat and your physical health. But do you really know what you are eating when you buy processed foods, canned foods, and packaged goods? Many of the manufactured products made today contain so many chemicals and artificial ingredients ②which it is sometimes difficult to know exactly what is inside them. Fortunately, now there are food labels. Food labels are a good way ③to find the information about the foods you eat. Labels on food are ④like the table of contents found in books. The main purpose of food labels ⑤is to inform you what is inside the food you are purchasing.

*manufactured: (공장에서) 제조된 **table of contents: (책 등의) 목차

Words

phrase 구절
relationship 관계
physical 신체의
processed food 가공식품
canned food 통조림 식품
chemical 화학물질
ingredient 재료

대표 예제 2 　　✎ 고1 9월

다음 글의 밑줄 친 부분 중, 어법상 틀린 것은?

　There are many methods for finding answers to the mysteries of the universe, and science is only one of these. However, science is unique. Instead of making guesses, scientists follow a system ①designed to prove if their ideas are true or false. They constantly reexamine and test their theories and conclusions. Old ideas are replaced when scientists find new information ②that they cannot explain. Once somebody makes a discovery, others review it carefully before ③using the information in their own research. This way of building new knowledge on older discoveries ④ensure that scientists correct their mistakes. Armed with scientific knowledge, people build tools and machines that transform the way we live, making our lives ⑤much easier and better.

Words

method 방법
universe 우주
prove 증명하다
constantly 끊임없이
theory 이론, 학설
conclusion 결론
replace 대신하다, 대체하다
discovery 발견
ensure 보장하다, 확실하게 하다

🌟 개념 가이드

밑줄 친 부분의 어법 항목을 먼저 살펴본다. 접속사 [　　　], 관계대명사 which와 what 등의 쓰임에 주의한다. 긴 주어나 동명사구, 명사절 등이 주어로 올 때 동사의 [　　　]에 주의한다.　　　🔑 that, 수 일치

대표 예제 3 📝 고1 9월 응용

다음 글의 밑줄 친 부분 중, 문맥상 낱말의 쓰임이 적절하지 <u>않은</u> 것은?

Technological development often forces change, and change is uncomfortable. This is one of the main reasons why technology is often resisted and why some perceive it as a ①<u>threat</u>. It is important to understand our natural ②<u>hate</u> of being uncomfortable when we consider the impact of technology on our lives. As a matter of fact, most of us prefer the path of ③<u>least</u> resistance. This tendency means that the true potential of new technologies may remain ④<u>unrealized</u> because, for many, starting something new is just too much of a struggle. Even our ideas about how new technology can enhance our lives may be ⑤<u>encouraged</u> by this natural desire for comfort.

> **Words**
>
> resist 저항하다
> perceive 인식하다, 여기다
> impact 영향, 충격
> path 길
> potential 잠재력
> struggle 힘든 일, 투쟁
> enhance 향상시키다
> comfort 편안함

대표 예제 4 📝 고1 6월 응용

(A), (B), (C)의 각 네모 안에서 문맥에 맞는 낱말로 가장 적절한 것은?

The brain makes up just two percent of our body weight but uses 20 percent of our energy. In newborns, it's no less than 65 percent. That's partly why babies sleep all the time — their growing brains (A) warn / exhaust them — and have a lot of body fat, to use as an energy reserve when needed. Actually, per unit of matter, the brain uses by far (B) more / less energy than our other organs. That means that the brain is the most expensive of our organs. But it is also marvelously (C) creative / efficient . Our brains require only about four hundred calories of energy a day — about the same as we get from a blueberry muffin. Try running your laptop for twenty-four hours on a muffin and see how far you get.

> **Words**
>
> newborn 신생아
> warn 경고하다
> exhaust 소진시키다
> reserve 비축(물)
> organ 기관, 장기
> marvelously 놀랍게도
> efficient 효율적인
> require 필요로 하다, 요구하다

	(A)	(B)	(C)		(A)	(B)	(C)
①	warn	— less	— efficient	②	warn	— more	— efficient
③	exhaust	— more	— efficient	④	exhaust	— more	— creative
⑤	exhaust	— less	— creative				

🔧 **개념 가이드**

문제로 제시된 부분의 어휘들을 먼저 살핀 후, 글을 읽으면서 어휘의 뜻이 [   ]에 맞게 쓰였는지 판단한다. 🔖 글의 흐름

누구나 100점 테스트 1회

✏️고1 9월 응용

[1~2] 다음 글을 읽고 물음에 답하시오.

It's hard enough to stick with goals you want to accomplish, but sometimes we make goals we're not even thrilled about in the first place. We set resolutions based on what we're supposed to do, or what others think we're supposed to do, rather than what really matters to us. This makes it nearly impossible to stick to the goal. ___ⓐ___, reading more is a good habit, but if you're only doing it because you feel like that's what you're supposed to do, not because you actually want to learn more, you're going to have a hard time reaching the goal. Instead, make goals based on ___ⓑ___. Now, this isn't to say you should read less. The idea is to first consider what matters to you, then figure out what you need to do to get there.

1 윗글의 빈칸 ⓐ에 들어갈 말로 가장 적절한 것은?

① In addition   ② For example

③ In other words   ④ Instead

⑤ On the other hand

2 윗글의 빈칸 ⓑ에 들어갈 말로 가장 적절한 것은?

① your moral duty   ② a strict deadline

③ your own values   ④ parental guidance

⑤ job market trends

✏️고1 3월

3 다음 도표의 내용과 일치하지 <u>않는</u> 것은?

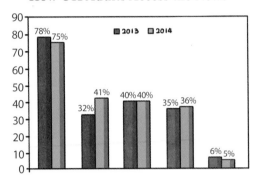

How UK Adults Access the News

The above graph shows how UK adults accessed the news in 2013 and in 2014. ① In both years, TV was the most popular way to access the news. ② Using websites or apps was the fourth most popular way in 2013, but rose to the second most popular way in 2014. ③ On the other hand, listening to the radio was the third most popular way in 2013, but fell to the fourth most popular way in 2014. ④ The percentage of UK adults using magazines in 2014 was higher than that in 2013. ⑤ The percentage of UK adults using newspapers in 2014 remained the same as that in 2013.

✎고1 6월응용
[4~5] 다음 글을 읽고 물음에 답하시오.

"Wanna work together?" a cheerful voice spoke on Amy's first day at a new school. It was Wilhemina. Amy was too surprised to do anything but nod. The big black girl put ⓐ her notebook down beside Amy's. After dropping the notebook, ⓑ she lifted herself up onto the stool beside Amy. "I'm Wilhemina Smiths, Smiths with an *s* at both ends," ⓒ she said with a friendly smile. "My friends call me Mina. You're Amy Tillerman." Amy nodded and stared. As the only new kid in the school, ⓓ she was pleased to have a lab partner. But Amy wondered if Mina chose her because ⓔ she had felt sorry for the new kid.

4 윗글의 밑줄 친 ⓐ~ⓔ 중 가리키는 대상이 나머지 넷과 다른 것은?

① ⓐ　　② ⓑ　　③ ⓒ　　④ ⓓ　　⑤ ⓔ

5 윗글에서 Amy가 느꼈을 기분으로 가장 적절하지 않은 것은?

① unfamiliar

② surprised

③ pleased

④ curious

⑤ scary

✎고1 6월
6 Lithops에 관한 다음 글의 내용과 일치하지 않는 것은?

Lithops are plants that are often called 'living stones' on account of their unique rock-like appearance. They are native to the deserts of South Africa but commonly sold in garden centers and nurseries. Lithops grow well in compacted, sandy soil with little water and extreme hot temperatures. Lithops are small plants, rarely getting more than an inch above the soil surface and usually with only two leaves. The thick leaves resemble the cleft in an animal's foot or just a pair of grayish brown stones gathered together. The plants have no true stem and much of the plant is underground. Their appearance has the effect of conserving moisture.

*cleft: 갈라진 틈

① 살아있는 돌로 불리는 식물이다.

② 원산지는 남아프리카 사막 지역이다.

③ 토양의 표면 위로 대개 1인치 이상 자란다.

④ 줄기가 없으며 땅속에 대부분 묻혀 있다.

⑤ 겉모양은 수분 보존 효과를 갖고 있다.

고1 6월 응용

[1~2] 다음 글을 읽고 물음에 답하시오.

We have a tendency ⓐto interpret events selectively. If we want things ⓑto be "this way" or "that way" we can most certainly select, stack, or arrange evidence in a way ⓒthat supports such a viewpoint. Selective perception is based on ⓓwhat seems to us to stand out. However, ⓔthat seems to us to be standing out may very well be related to our goals, interests, expectations, past experiences, or current demands of the situation—"with a hammer in hand, everything looks like a nail." This quote highlights the phenomenon of selective perception. If we <u>want to use a hammer</u>, then the world around us may begin to look as though it is full of nails!

1 윗글의 밑줄 친 ⓐ~ⓔ 중 어법상 틀린 것은?

① ⓐ ② ⓑ ③ ⓒ ④ ⓓ ⑤ ⓔ

2 윗글의 밑줄 친 want to use a hammer가 의미하는 바로 가장 적절한 것은?

① are unwilling to stand out

② make our effort meaningless

③ intend to do something in a certain way

④ hope others have a viewpoint similar to ours

⑤ have a way of thinking that is accepted by others

고1 3월

3 다음 안내문의 내용과 일치하지 <u>않는</u> 것은?

2018 Eco-Adventure Camp

Explore the woods in Tennessee! All middle school and high school students are welcome!

- Dates: March 23–25
  (3 days and 2 nights)
- Fee: $150 per person
  (All meals are included.)
- Activities: Nature Class, Hiking and Climbing, and Treasure Hunt
- Every participant will receive a camp backpack.
- Registration starts from March 12 and ends on March 16 on our website.

  For more information, please visit us at www.ecoadventure.com.

① 중·고등학생이 참가할 수 있다.

② 2박 3일 동안 진행된다.

③ 참가비에 식사 비용이 포함된다.

④ 참가자에게 캠프 배낭을 준다.

⑤ 등록은 3월 16일에 시작된다.

✎ 고1 3월 응용
[4~5] 다음 글을 읽고 물음에 답하시오.

One day I caught a taxi to work. When I got into the back seat, I saw a brand new cell phone sitting right next to me. I asked the driver, "Where did you drop the last person off?" and showed him the phone. He pointed at a girl walking up the street. We drove up to her and I rolled down the window yelling out to her. She was very thankful and by the look on her face I could tell how grateful she was. Her smile made me smile and feel really good inside. After she got the phone back, I heard someone walking past her say, "Today's your _____ day!"

4 윗글의 빈칸에 들어갈 말로 가장 적절한 것은?

① unhappy
② terrible
③ awful
④ lousy
⑤ lucky

5 윗글에 드러난 'I'의 심경으로 가장 적절한 것은?

① angry
② bored
③ scared
④ pleased
⑤ regretful

✎ 고1 3월 응용
6 (A), (B), (C)의 각 네모 안에서 문맥에 맞는 낱말로 가장 적절한 것은?

How does a leader make people feel important? First, by listening to them. Let them know you respect their thinking, and let them (A) silence / voice their opinions. A friend of mine once told me about the CEO of a large company who told one of his managers, "Don't ever tell me what you think unless I ask you. Is that understood?" Imagine the (B) improvement / loss of self-esteem that manager must have felt. It must have discouraged him and negatively affected his performance. On the other hand, when you make a person feel a great sense of importance, he or she will feel on top of the world — and the level of energy will (C) decrease / increase rapidly.

	(A)	(B)	(C)
①	silence	improvement	decrease
②	silence	loss	increase
③	voice	improvement	decrease
④	voice	loss	decrease
⑤	voice	loss	increase

A 영어 단어와 그 의미를 바르게 연결하시오.

commercial

효과적인

potential

contribution

suppose

기여, 이바지

상업의

세대

generation

잠재력

가정하다

effective

✎ 고1 6월 응용

B 다음 안내문의 제목으로 가장 적절한 것을 고르시오.

_____

Share your talents & conserve the environment

□ **Main Topic**: Save the Environment
□ **Writing Categories**: • Slogan   • Poem   • Essay
□ **Requirements**:
  • Participants: High school students
  • Participate in one of the above categories (only one entry per participant)
□ **Deadline**: July 5th, 2021
  • Email your work to apply@gogreen.com.

☐ "Go Camping" Writing Contest

☐ "Go Green" Writing Contest

☐ "Go Green" Photo Contest

C 다음 대화에서 <u>틀리게</u> 말한 사람을 찾고 그 이유를 써 봅시다.

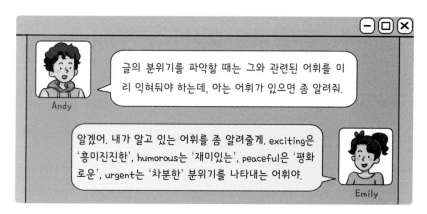

➡ _____

✏고1 11월 응용

D 다음 도표의 내용과 일치하지 <u>않는</u> 것을 고르시오.

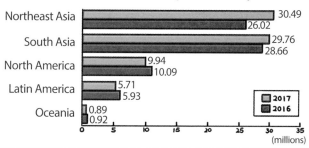

① Of the five regions, Northeast Asia showed the highest number in direct job creation by travel and tourism in 2017, with 30.49 million jobs.

② In 2016, the number of jobs in South Asia that travel and tourism directly contributed was the largest of the five regions, but it ranked the second highest in 2017.

③ Though the number of jobs in North America directly created by travel and tourism was lower in 2017 than in 2016, it still exceeded 10 million in 2017.

A 다음이 설명하는 단어를 찾아 바르게 연결하시오.

1 something that enters as an element into a mixture • • ⓐ enhance

2 important and deserving of attention • • ⓑ artificial

3 to raise to a higher degree; intensify; magnify • • ⓒ significant

4 the place to which a person or thing travels or is sent • • ⓓ ingredient

5 made by human skill • • ⓔ destination

✎ 고1 9월 응용

B 다음 설명의 밑줄 친 부분 중, 낱말의 쓰임이 적절하지 <u>않은</u> 것을 고르시오.

People are innately inclined to look for causes of events, to form explanations and stories. We attribute causes to events, and as long as these cause-and-effect ①pairings make sense, we use them for understanding future events. Yet these causal attributions are often mistaken. Sometimes they implicate the ②wrong causes, and for some things that happen, there is no single cause. Rather, there is a complex chain of events that all contribute to the result; if any one of the events would not have occurred, the result would be ③similar.

고1 11월응용

C 다음 글의 밑줄 친 부분의 의미를 가장 잘 파악한 사람을 고르시오.

With the Internet, everything changed. Product problems, overpromises, the lack of customer support, differential pricing—all of the issues that customers actually experienced from a marketing organization suddenly popped out of the box. No longer were there any controlled communications or even business systems. Consumers could generally learn through the Web whatever they wanted to know about a company, its products, its competitors, its distribution systems, and, most of all, its truthfulness when talking about its products and services.

D 다음 어휘가 나타내는 심경을 바르게 연결하시오.

1 concerned •

2 annoyed •

3 surprised •

4 nervous •

5 amused •

6 uneasy •

7 amazed •

•ⓐ 놀란

•ⓑ 기쁜

•ⓒ 화난, 짜증난

•ⓓ 초조한

•ⓔ 걱정되는

✎고1 9월 응용

[1~2] 다음 글을 읽고 물음에 답하시오.

Leaving a store, I returned to my car only to find that I'd locked my car key and cell phone inside the vehicle. A teenager riding his bike saw me kick a tire in frustration. "What's wrong?" ⓐhe asked. I explained my situation. "But even if I could call my husband," I said, "he can't bring me his car key, since this is our only car." ⓑHe handed me his cell phone. The thoughtful boy said, "Call your husband and tell him I'm coming to get ⓒhis key." "Are you sure? That's four miles round trip." "Don't worry about it." An hour later, ⓓhe returned with the key. I offered ⓔhim some money, but he refused. "Let's just say I needed the exercise," he said.

1 윗글의 밑줄 친 ⓐ~ⓔ 중 가리키는 대상이 나머지 넷과 다른 것은?

① ⓐ   ② ⓑ   ③ ⓒ   ④ ⓓ   ⑤ ⓔ

2 윗글의 내용과 일치하지 <u>않는</u> 것은?

① 여자는 차 열쇠를 차 안에 둔 채 문을 잠갔다.

② 여자는 가게에서 휴대전화를 잃어버렸다.

③ 십 대 소년은 자전거를 타고 있었다.

④ 십 대 소년은 여자에게 휴대전화를 빌려주었다.

⑤ 십 대 소년이 열쇠 가져오는 데 1시간이 걸렸다.

✎고1 6월

3 다음 도표의 내용과 일치하지 <u>않는</u> 것은?

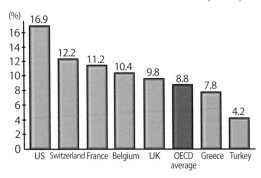

Health Spending as a Share of GDP for Selected OECD Countries (2018)

The above graph shows health spending as a share of GDP for selected OECD countries in 2018. ①On average, OECD countries were estimated to have spent 8.8 percent of their GDP on health care. ②Among the given countries above, the US had the highest share, with 16.9 percent, followed by Switzerland at 12.2 percent. ③France spent more than 11 percent of its GDP, while Turkey spent less than 5 percent of its GDP on health care. ④Belgium's health spending as a share of GDP sat between that of France and the UK. ⑤There was a 3 percentage point difference in the share of GDP spent on health care between the UK and Greece.

✎고1 9월 응용

[4~5] 다음 글을 읽고 물음에 답하시오.

My dad worked very late hours as a musician so he slept late on weekends. _____, we didn't have much of a relationship when I was young other than him constantly nagging me to take care of chores like mowing the lawn and cutting the hedges, ⓐwhich I hated. He was a responsible man ⓑdealing with an irresponsible kid. Memories of how we interacted ⓒseems funny to me today. For example, one time he told me to cut the grass and I decided ⓓto do just the front yard and postpone doing the back, but then it rained for a couple days and the backyard grass became so high I had to cut it with a sickle. That took so long ⓔthat by the time I was finished, the front yard was too high to mow, and so on.

*sickle: 낫

4 윗글의 빈칸에 들어갈 말로 가장 적절한 것은?

① As a result
② However
③ In addition
④ For instance
⑤ On the other hand

5 윗글의 밑줄 친 ⓐ~ⓔ 중, 어법상 **틀린** 것은?

① ⓐ   ② ⓑ   ③ ⓒ   ④ ⓓ   ⑤ ⓔ

✎고1 6월

6 Tomas Luis de Victoria에 관한 다음 글의 내용과 일치하지 <u>않는</u> 것은?

Tomas Luis de Victoria, the greatest Spanish composer of the sixteenth century, was born in Avila and as a boy sang in the church choir. When his voice broke, he went to Rome to study and he remained in that city for about 20 years, holding appointments at various churches and religious institutions. In Rome, he met Palestrina, a famous Italian composer, and may even have been his pupil. In the 1580s, after becoming a priest, he returned to Spain and spent the rest of his life peacefully in Madrid as a composer and organist to members of the royal household. He died in 1611, but his tomb has yet to be identified.

① 소년 시절 교회 합창단에서 노래했다.
② 로마에서 약 20년 동안 머물렀다.
③ 이탈리아 작곡가인 Palestrina를 만났다.
④ 스페인으로 돌아온 후 사제가 되었다.
⑤ 무덤은 아직 확인되지 않았다.

고1 6월 응용

[7~8] 다음 글을 읽고 물음에 답하시오.

One day, Cindy happened to sit next to a famous artist in a café, and she was thrilled to see him in person. He was drawing on a used napkin over coffee. She was looking on in awe. After a few moments, the man finished his coffee and was about to throw away the napkin as he left. Cindy stopped him. "Can I have that napkin you drew on?", she asked. "Sure," he replied. "Twenty thousand dollars." She said, with her eyes wide-open, "What? It took you like two minutes to draw that." "No," he said. "It took me over sixty years to draw this." Being at a loss, she stood still rooted to the ground.

7 윗글에 드러난 Cindy의 심경 변화로 가장 적절한 것은?

① relieved → worried

② indifferent → embarrassed

③ excited → surprised

④ disappointed → satisfied

⑤ jealous → confident

8 윗글의 내용과 일치하지 <u>않는</u> 것은?

① Cindy는 카페에서 유명한 화가 옆에 앉았다.

② 화가는 냅킨에 그림을 그렸다.

③ 화가는 그림을 그린 냅킨을 버리려고 했다.

④ Cindy는 화가가 그림을 그린 냅킨을 갖고 싶었다.

⑤ 화가는 60년 동안 냅킨에 그림을 그렸다.

고1 9월 응용

9 다음 글의 밑줄 친 have that same scenario가 의미하는 바로 가장 적절한 것은?

There are more than 700 million cell phones used in the US today and at least 140 million of those cell phone users will abandon their current phone for a new phone every 14 – 18 months. Actually, I use my cell phone until the battery no longer holds a good charge. At that point, it's time. So I figure I'll just get a replacement battery. But I'm told that battery is no longer made and the phone is no longer manufactured because there's newer technology and better features in the latest phones. That's a typical justification. I'm just one example. Can you imagine how many countless other people <u>have that same scenario</u>?

① have frequent trouble updating programs

② cannot afford new technology due to costs

③ spend a lot of money repairing their cell phones

④ are driven to change their still usable cell phones

⑤ are disappointed with newly launched phone models

✎고1 6월응용

[10~11] 다음 글을 읽고 물음에 답하시오.

School assignments have typically required ⓐ that students work alone. This emphasis on (A) collective / individual productivity reflected an opinion ⓑ that independence is a necessary factor for success. ⓒ Having the ability to take care of oneself without depending on others was considered a requirement for everyone. Consequently, teachers in the past (B) more / less often arranged group work or encouraged students to acquire teamwork skills. However, since the new millennium, businesses have experienced more global competition ⓓ that requires improved productivity. This situation has led employers to insist that newcomers to the labor market provide evidence of traditional independence but also interdependence ⓔ showing through teamwork skills.

 10 윗글의 밑줄 친 ⓐ~ⓔ 중 어법상 틀린 것은?

① ⓐ　　② ⓑ　　③ ⓒ　　④ ⓓ　　⑤ ⓔ

11 윗글의 (A), (B)의 각 네모 안에서 문맥에 맞는 낱말을 골라 쓰시오.

(A) _____　　(B) _____

✎고1 9월

12 다음 글의 빈칸에 들어갈 말로 가장 적절한 것은?

When meeting someone in person, body language experts say that smiling can portray confidence and warmth. Online, however, smiley faces could be doing some serious damage to your career. In a new study, researchers found that using smiley faces _____. The study says, "contrary to actual smiles, smileys do not increase perceptions of warmth and actually decrease perceptions of competence." The report also explains, "Perceptions of low competence, in turn, lessened information sharing." Chances are, if you are including a smiley face in an email for work, the last thing you want is for your co-workers to think that you are so inadequate that they chose not to share information with you.

① makes you look incompetent

② causes conflict between generations

③ clarifies the intention of the message

④ results in low scores in writing tests

⑤ helps create a casual work environment

✎ 고1 11월 응용

[1~2] 다음 글을 읽고 물음에 답하시오.

One time I was at my grandpa Cassil's farm when he was going to pick up a new beagle puppy. My cousin and I went with him to get the puppy, and on the way back to the house, we started talking about what to name ⓐhim. We decided to name that dog Blaze. Blaze and I got to be good friends as we grew up. I looked forward to going to Grandpa's each week to see Blaze and run around the farm with ⓑhim. But one Sunday we went to Grandpa's, and ⓒhe was gone. Grandpa said a friend of his had liked the dog, and ⓓhe had given him away. I never saw Blaze again, and I missed ⓔhim a lot.

1 윗글의 밑줄 친 ⓐ~ⓔ 중 가리키는 대상이 나머지 넷과 다른 것은?

    ⑤ⓔ

2 윗글에 드러난 'I'의 심경 변화로 가장 적절한 것은?

① pleased → sad

② surprised → angry

③ nervous → bored

④ disappointed → pleased

⑤ amused → worried

✎ 고1 6월

3 다음 도표의 내용과 일치하지 <u>않는</u> 것은?

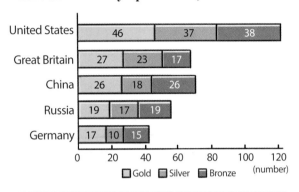

2016 Summer Olympic Games, Medal Count

The above graph shows the number of medals won by the top 5 countries during the 2016 Summer Olympic Games, based on the medal count of the International Olympic Committee (IOC). ①Of the 5 countries, the United States won the most medals in total, about 120. ②When it comes to gold medals, Great Britain won more than China did. ③China, Russia, and Germany won fewer than 20 silver medals each. ④The number of bronze medals won by the United States was less than twice the number of bronze medals won by Germany. ⑤Each of the top 5 countries won more than 40 medals in total.

✎고1 9월 응용
[4~5] 다음 글을 읽고 물음에 답하시오.

Social connections are so essential for our survival and well-being ⓐ that we not only cooperate with others ⓑ to build relationships, we ⓒ also compete with others for friends. Take gossip. Through gossip, we bond with our friends, ⓓ sharing interesting details. But at the same time, we are (A) ⎡creating / forgiving⎦ potential enemies in the targets of our gossip. Or consider rival holiday parties ⓔ when people compete to see who will attend *their* party. We can even see this (B) ⎡harmony / tension⎦ in social media as people compete for the most friends and followers.

4 윗글의 밑줄 친 ⓐ~ⓔ 중 어법상 틀린 것은?

① ⓐ   ② ⓑ   ③ ⓒ   ④ ⓓ   ⑤ ⓔ

✎고1 3월
6 다음 글의 빈칸에 들어갈 말로 가장 적절한 것은?

Within a store, the wall marks the back of the store, but not the end of the marketing. Merchandisers often use the back wall as a magnet, because it means that _____. This is a good thing because distance traveled relates more directly to sales per entering customer than any other measurable consumer variable. Sometimes, the wall's attraction is simply appealing to the senses, a wall decoration that catches the eye or a sound that catches the ear. Sometimes the attraction is specific goods. In supermarkets, the dairy is often at the back, because people frequently come just for milk. At video rental shops, it's the new releases.

*merchandiser: 상품 판매업자 **variable: 변수

① the store looks larger than it is
② more products can be stored there
③ people have to walk through the whole store
④ the store provides customers with cultural events
⑤ people don't need to spend too much time in the store

5 윗글의 (A), (B)의 각 네모 안에서 문맥에 맞는 낱말을 골라 쓰시오.

(A) _____   (B) _____

✎ 고1 11월응용

[7~8] 다음 글을 읽고 물음에 답하시오.

There is a critical factor that determines whether your choice will influence ⓐ that of others: the visible consequences of the choice. Take the case of the Adélie penguins. There is the leopard seal, for one, which likes to have penguins for a meal. What is an Adélie to do? The penguins' solution is to play the waiting game. They wait and wait and wait by the edge of the water until one of them gives up and jumps in. If the pioneer survives, everyone else will follow suit. If it perishes, they'll turn away. Their strategy, you could say, is ⓑ "learn and live."

*perish: 죽다

7 윗글의 밑줄 친 ⓐthat이 가리키는 것을 본문에서 찾아 쓰시오.

➡ _____

8 윗글의 밑줄 친 ⓑ "learn and live"가 의미하는 바로 가장 적절한 것은?

① occupy a rival's territory for safety
② discover who the enemy is and attack first
③ share survival skills with the next generation
④ support the leader's decisions for the best results
⑤ follow another's action only when it is proven safe

✎ 고1 11월

9 다음 글에 드러난 Clara의 심경으로 가장 적절한 것은?

Clara, an 11-year-old girl, sat in the back seat of her mother's car with the window down. The wind from outside blew her brown hair across her ivory pale skin — she sighed deeply. She was sad about moving and was not smiling. Her heart felt like it hurt. The fact that she had to leave everything she knew broke her heart. Eleven years — that was a long time to be in one place and build memories and make friends. She had been able to finish out the school year with her friends, which was nice, but she feared she would face the whole summer and the coming school year alone. Clara sighed heavily.

① calm and relaxed
② jealous and irritated
③ excited and amused
④ bored and indifferent
⑤ sorrowful and worried

[10~11] 다음 글을 읽고 물음에 답하시오.

Virtual Idea Exchange

Connect in real time and have discussions about the upcoming school festival.

□ **Goal**

• Plan the school festival and share ideas for it.

□ **Participants**: Club leaders only

□ _____

• Themes • Ticket sales • Budget

□ **Date & Time**: 5 to 7 p.m. on Friday, June 25th, 2021

□ **Notes**

• Get the access link by text message 10 minutes before the meeting and click it.

• Type your real name when you enter the chatroom.

---

10 윗글의 빈칸에 들어갈 내용으로 가장 적절한 것은?

① What to Discuss ② When to Discuss

③ How to Discuss ④ Why to Discuss

⑤ Who to Discuss

11 Virtual Idea Exchange에 관한 윗글의 내용과 일치하는 것은?

① 동아리 회원이라면 누구나 참여 가능하다.

② 티켓 판매는 토론 대상에서 제외된다.

③ 회의는 3시간 동안 열린다.

④ 접속 링크를 문자로 받는다.

⑤ 채팅방 입장 시 동아리명으로 참여해야 한다.

---

12 다음 글의 밑줄 친 부분 중, 어법상 **틀린** 것은?

There have been occasions ① in which you have observed a smile and you could sense it was not genuine. The most obvious way of identifying a genuine smile from an insincere ② one is that a fake smile primarily only affects the lower half of the face, mainly with the mouth alone. The eyes don't really get involved. Take the opportunity to look in the mirror and manufacture a smile ③ using the lower half your face only. When you do this, judge ④ how happy your face really looks—is it genuine? A genuine smile will impact on the muscles and wrinkles around the eyes and less noticeably, the skin between the eyebrow and upper eyelid ⑤ are lowered slightly with true enjoyment. The genuine smile can impact on the entire face.

Word Puzzle

정답과 해설 **48**쪽

♦ 주어진 문장의 빈칸에 들어갈 말을 이용하여 퍼즐을 완성하시오.

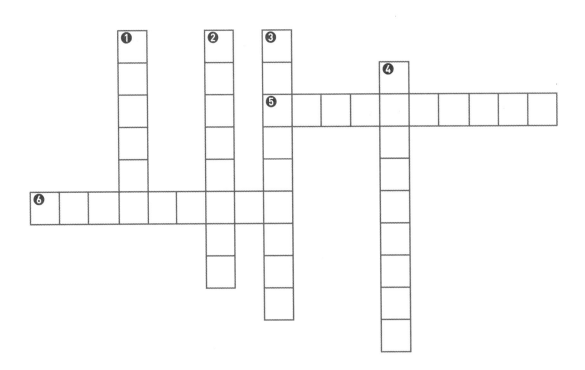

Across

5. This food contains _____ flavors.
   (이 식품에는 인공 향료가 들어 있다.)

6. Money is not _____ to happiness.
   (돈이 행복에 필수적인 것은 아니다.)

Down

1. A thermometer is a _____ that measures temperature.
   (온도계는 온도를 재는 장치이다.)

2. I went through an _____ crisis in my teens.
   (나는 십 대 때 정체성 위기를 겪었다.)

3. Can you _____ this sentence into French?
   (이 문장을 프랑스어로 번역할 수 있니?)

4. Television is an _____ means of communication.
   (텔레비전은 효율적인 의사전달 수단이다.)

Memo

Memo

핵심정리 01 빈칸 추론 – 전반부

유형 분석

1 글 속에 있는 빈칸에 들어갈 내용을 추론하는 유형이다.

2 빈칸 앞뒤의 문맥, 또는 글 전체의 **①**　　　에 비추어 추론하는데, 글의 첫 문장 또는 전반부에 빈칸 있는 경우에는 빈칸을 포함하는 문장이 **②**　　　일 경우가 많다.

> 빈칸에 적절한 표현을 추론하는 유형이에요.

답 ❶ 핵심 내용 ❷ 주제문

핵심정리 02 빈칸 추론 – 중·후반부

유형 분석

1 빈칸이 글의 후반부, 특히 마지막 문장에 있을 경우에는 글 전체의 **①**　　　이나 요지일 가능성이 크며, 주제문을 재강조하는 문장일 수 있다.

2 **②**　　　의 연결어와 함께 중반부에 빈칸이 있는 경우에는 앞에 나온 논리와 반대되는 내용이 제시되기도 한다. 그렇지 않다면 대부분 빈칸 앞뒤의 내용에서 단서를 찾을 수 있다.

> 빈칸에 적절한 표현을 추론하는 유형이에요.

답 ❶ 결론 ❷ 역접

핵심정리 03 지칭 추론

유형 분석

1 글 속에서 **①**　　　나 **②**　　　가 구체적으로 지칭하는 대상을 찾는 유형이다.

2 주로 여러 명의 등장인물이 나오는 이야기체 지문이 출제된다.

> 지칭하는 대상을 추론하는 유형이에요.

답 ❶ 대명사 ❷ 지칭어구

핵심정리 04 내용 일치

유형 분석

1 내용 일치(불일치)는 글 속의 정보와 **①**　　　의 내용을 비교하여 일치·불일치 여부를 판단하는 유형이다.

2 일치하는 것보다 일치하지 않는 것을 고르는 문제가 더 자주 출제된다.

> 글의 세부 내용을 파악하는 유형이에요.

답 ❶ 선택지

문제 해결 전략

1 글의 앞부분을 읽으면서 글의 ❶ [ ] 또는 핵심 소재를 파악한다.

2 빈칸 앞뒤에 ❷ [ ] 가 있는지 확인한다.

3 선택지에서 답을 고른 다음, 빈칸에 넣어 글의 흐름이 자연스러운지 확인한다.

답 ❶ 주제 ❷ 연결어

문제 해결 전략

1 ❶ [ ] 이 들어 있는 문장을 먼저 확인하고, 빈칸 앞뒤를 중심으로 핵심 내용을 파악한다.

2 글을 읽으면서 글의 ❷ [ ] 을 고려하여 빈칸에 들어갈 내용을 추측해 본다.

3 선택지에서 답을 고른 다음, 빈칸에 넣어 글의 흐름이 자연스러운지 확인한다.

답 ❶ 빈칸 ❷ 논리적 흐름

문제 해결 전략

1 일치·❶ [ ] 여부를 확인한 후 선택지를 읽어 본다.

2 글을 읽으면서 ❷ [ ] 의 내용과 하나씩 비교한다. 선택지의 내용은 글에 언급된 순서대로 나온다.

3 일치·불일치하는 선택지를 고른 후, 다시 한 번 내용을 확인한다.

답 ❶ 불일치 ❷ 선택지

문제 해결 전략

1 밑줄 친 부분을 먼저 확인하고, 글 속에 등장하는 ❶ [ ] 을 살펴본다.

2 글을 읽으면서 등장인물이 몇 명인지, 또 누구인지 확인한다. 특히 대명사나 ❷ [ ] 앞에 나오는 등장인물을 잘 살핀다.

3 글의 내용을 종합적으로 살핀 후, 가리키는 대상이 다른 하나를 고른다.

답 ❶ 인물 ❷ 지칭어구

핵심정리 05 도표

유형 분석

1 도표는 특정 제목 아래 **①** 가 제시되고, 그래프에서 알 수 있는 전반적인 경향, 세부 항목 수치 등을 설명하는 각 문장의 진위 여부를 판별하는 유형이다.

2 가로·세로 막대 그래프, 꺾은 선 그래프, **②** 등 다양한 형태로 출제된다.

도표의 내용을 파악하는 유형이에요.

답 **①** 그래프 **②** 원 그래프

핵심정리 06 안내문

유형 분석

1 특정 행사나 대회 등에 관한 정보를 안내하는 **①** 이 제시된다.

2 행사나 대회의 **②** , 일시, 대상, 세부 활동 등의 내용을 보고 일치하지 않는 것을 고르는 유형이다.

실용문의 세부 내용을 파악하는 유형이에요.

답 **①** 실용문 **②** 목적

핵심정리 07 심경·분위기

유형 분석

1 글에 드러난 등장인물의 **①** 나 글의 전반적인 상황을 파악하는 유형이다.

2 글에는 묘사하는 내용이 많고 선택지에도 심경이나 **②** 를 묘사하는 어휘들이 제시된다.

등장인물의 심경이나 글의 분위기를 추론하는 유형이에요.

답 **①** 심리 상태 **②** 분위기

핵심정리 08 밑줄 친 부분의 의미

유형 분석

1 글 속에서 밑줄 친 어구나 절의 **①** 의미를 찾는 유형이다.

어구의 함축적 의미를 파악하는 유형이에요.

답 **①** 함축적

문제 해결 전략

1 안내문의 **❶** [   ] 을 먼저 읽고 무엇에 관한 것인지 확인한다.

2 선택지의 내용과 안내문의 내용을 하나씩 대조해 본다.

3 일치하거나 일치하지 않는 것을 고른 후, 안내문과 다시 한 번 비교하며 확인한다.

답 **❶** 제목

문제 해결 전략

1 도표의 제목을 먼저 읽고 무엇에 관한 것인지 확인한다. 도표의 가로축, 세로축, **❶** [   ] 에 관한 정보도 함께 확인한다.

2 **❷** [   ] 의 내용과 도표의 내용을 하나씩 대조해 본다.

3 일치하지 않는 것을 고른 후, 도표와 다시 한 번 비교하며 확인한다.

답 **❶** 범례 **❷** 선택지

문제 해결 전략

1 밑줄 친 어구를 포함한 문장을 먼저 확인한다.

2 **❶** [   ] 를 읽으며 흐름을 파악한다.

3 **❷** [   ] 를 고른 후, 밑줄 친 부분과 의미가 통하는지 다시 보며 확인한다.

답 **❶** 글 전체 **❷** 선택지

문제 해결 전략

1 글에서 등장인물이 처한 상황이나 일어나고 있는 사건을 파악한다.

2 글을 읽으며 등장인물의 기분이나 심리 상태, 또는 분위기를 나타내는 어휘를 파악한다.
   - 심경: 놀란(surprised, amazed), 기쁜(pleased, **❶** [   ]), 화난·짜증난(angry, upset, annoyed), 초조한(nervous, uneasy), 걱정되는(worried, concerned), 당황한(confused, puzzled), 우울한(depressed), 실망한(**❷** [   ], 좌절한(frustrated), 지루한(bored), 느긋한(relaxed), 안도한(relieved)
   - 분위기: 흥미진진한(exciting), 유쾌한(cheerful), 재미있는(humorous), 평화로운(peaceful), 차분한(calm), 급박한(urgent), 우울한(gloomy), 활기찬(lively), 단조로운(monotonous)

답 **❶** amused **❷** disappointed

자르는 선

핵심정리 09 어법

1 밑줄 친 표현 중 어법상 **❶** ☐ 하나를 고르는 유형과, 두 개의 표현 중 어법상 **❷** ☐ 을 선택하는 유형으로 출제된다.

2 단편적인 문법 지식보다는 문맥을 통해 문장 구조를 파악해서 문제를 풀 수 있어야 한다.

어법상 쓰임이 적절한지 판단하는 유형이에요.

답 ❶ 맞지 않는 것 ❷ 맞는 것

핵심정리 10 어휘

1 밑줄 친 어휘 중 잘못 쓰인 것을 고르거나, 둘 중에서 흐름에 맞는 어휘를 선택하는 유형으로 출제된다.

2 **❶** ☐ 가 비슷하거나 **❷** ☐ 가 반대되어 혼동할 수 있는 어휘가 자주 제시된다.

문맥상 어휘의 쓰임이 적절한지 파악하는 유형이에요.

답 ❶ 철자 ❷ 의미

핵심정리 11 1일 주요 어휘

accept	받아들이다
commercial	상업의
completely	완전히
conscious	알고 있는, 의식하는
destination	목적지
effective	효과적인
expand	확장시키다
generation	세대
harmful	해로운
humid	습한
lean	(몸을) 기울이다
passenger	승객
specific	구체적인
successive	잇따른
suppose	가정하다

핵심정리 12 2일 주요 어휘

acquire	습득하다
announce	발표하다, 알리다
claim	주장하다
competition	시합, 경쟁
distress	곤경, 고통
entrance	입학, 입장, 출입구
escape	달아나다, 탈출하다
exhibit	보이다, 드러내다
identity	정체성
literature	문학
promote	승진시키다
recognition	인정
starve	굶주리다
suspect	의심하다
whisper	속삭이다

핵심 정리 10 어휘

문제 해결 전략

1 문제로 제시된 부분의 어휘들을 먼저 살핀 후, 글의 중심 내용을 파악한다.

2 글을 읽으면서 어휘의 뜻이 [❶]에 맞게 쓰였는지 판단한다.

3 알맞은 어휘 또는 잘못 쓰인 어휘를 고른 후, 글을 다시 읽으며 내용이 자연스러운지 확인한다.

답 ❶ 글의 흐름

핵심 정리 09 어법

문제 해결 전략

1 지문에 밑줄 친 부분의 어법 항목을 먼저 살펴본다.
   - 긴 주어나 동명사구, 명사절 등이 주어로 올 때 [❶] 의 수 일치
   - 접속사 that, 관계대명사 which와 what, 관계부사 where, when 등의 쓰임
   - to부정사/동명사의 목적어, 또는 병렬 구조
   - 명사를 수식하는 [❷]와 동사를 수식하는 부사의 형태 주의
   - 분사구문 또는 분사의 형태(능동/수동) 등 주의

2 글을 읽으면서 해당 어법 부분의 문맥과 문장 구조를 파악하여 바르게 쓰였는지 확인한다.

답 ❶ 동사 ❷ 형용사

핵심 정리 12 2일 주요 어휘

1 They will [❶] the result of the vote tomorrow.
   (그들은 투표 결과를 내일 발표할 것이다.)

2 Jason won first prize in the **competition**.
   (Jason은 그 시합에서 1등상을 받았다.)

3 I went through an [❷] crisis in my teens.
   (나는 십 대 때 정체성 위기를 겪었다.)

4 He **claimed** that he was innocent.
   (그는 자신이 무죄라고 주장했다.)

5 The rumor caused the actor considerable [❸].
   (그 소문은 그 배우에게 상당한 고통을 안겨 주었다.)

답 ❶ announce ❷ identity ❸ distress

핵심 정리 11 1일 주요 어휘

1 The bike was [❶] crushed under the car.
   (그 자전거는 승용차에 깔려 완전히 쭈그러졌다.)

2 Television is an [❷] means of communication.
   (텔레비전은 효율적인 의사전달 수단이다.)

3 I'm trying to overcome the **generation** gap.
   (나는 세대 차이를 극복하기 위해 노력하고 있다.)

4 Fruit juices can be **harmful** to your teeth.
   (과일 주스는 여러분의 치아에 해로울 수 있다.)

5 Susan [❸] stopped what she was doing.
   (Susan은 하고 있던 일을 즉시 중단했다.)

답 ❶ completely ❷ effective ❸ immediately

자르는 선

assess	접근하다, 접속하다
accompany	동반하다
consider	여기다, 생각하다
creativity	창의력, 창조성
device	기기, 장치
experience	경험
include	포함하다
maximum	최고, 최대
overtake	추월하다
participation	참가, 참여
period	기간
register	등록하다
select	선택하다
regardless of	~에 관계없이
sign up	등록하다

admire	감탄하다
analysis	분석
argument	논쟁
deficiency	결핍, 부족
exhausted	기진맥진한
grief	큰 슬픔, 비탄
impress	좋은 인상을 주다
indeed	정말로
indifferent	무관심한
remove	벗다, 제거하다
significant	의미가 있는, 중요한
surface	표면, 외부
translate	바꾸다, 번역하다, 고치다
virtual	가상의
virtue	미덕

appropriate	알맞은
artificial	인공적인
assessment	평가
complex	복잡한
constantly	끊임없이
efficient	효율적인
enhance	향상시키다
ingredient	재료
method	방법
perceive	인식하다, 여기다
potential	잠재력
resist	저항하다
reveal	드러내 보이다
struggle	힘든 일, 투쟁
theory	이론, 학설

average	평균
budget	예산
choir	합창단
conserve	보존하다
contribute	제공하다, 기부하다
emphasis	강조
essential	필수의
estimate	추정하다
interpret	해석하다
perception	지각, 인식
phenomenon	현상
postpone	연기하다, 미루다
resemble	닮다
resolution	결심, 다짐
sigh	한숨 쉬다

1 The blood samples are sent to the laboratory for **❶**_____.
(그 혈액 샘플들은 분석을 위해 실험실로 보내진다.)

2 A vitamin **deficiency** can lead to serious problems.
(비타민 부족은 심각한 문제들을 야기할 수 있다.)

3 She tried her best to **❷**_____ the interviewers.
(그녀는 면접관에게 좋은 인상을 주기 위해 최선을 다했다.)

4 Can you **❸**_____ this sentence into French?
(이 문장을 프랑스어로 번역할 수 있니?)

5 He had an **argument** with his friend.
(그는 친구와 언쟁을 했다.)

답 **❶** analysis **❷** impress **❸** translate

1 The film is filled with director's **❶**_____.
(그 영화는 감독의 창의력으로 가득 차 있다.)

2 A thermometer is a **device** that measures temperature.
(온도계는 온도를 재는 장치이다.)

3 It was a new **❷**_____ for him.
(그것은 그에게 새로운 경험이었다.)

4 You can join the club **regardless of** age.
(나이에 관계 없이 그 클럽에 가입할 수 있다.)

5 The **❸**_____ temperature of this room is 50 degrees.
(이 방의 최고 기온은 50도이다.)

답 **❶** creativity **❷** experience **❸** maximum

1 What is the **❶**_____ annual rainfall for this city?
(이 도시는 연중 평균 강수량이 얼마인가요?)

2 We should **❷**_____ forests for our environment.
(우리는 환경을 위해서 산림을 보존해야 한다.)

3 Money is not **❸**_____ to happiness.
(돈이 행복에 필수적인 것은 아니다.)

4 They decided to **postpone** the meeting until next Monday.
(그들은 회의를 다음 월요일까지 연기하기로 결정했다.)

5 She grew up to **resemble** her mother.
(그녀는 크면서 어머니를 닮아 갔다.)

답 **❶** average **❷** conserve **❸** essential

1 This food contains **artificial** flavors.
(이 식품에는 인공 향료가 들어 있다.)

2 Fashion is **❶**_____ changing.
(패션은 끊임없이 바뀐다.)

3 Milk is the basic **❷**_____ of cheese.
(우유는 치즈의 기본 재료이다.)

4 We need a new **method** to solve the problem.
(우리는 그 문제를 해결할 새로운 방법이 필요하다.)

5 The **❸**_____ has been proven by experiments.
(그 이론은 실험에 의해 증명되었다.)

답 **❶** constantly **❷** ingredient **❸** theory

자르는 선

고등 영어, 무조건 어휘력이다!

VOCA 다:품

[고교 필수 영단어] [수능 기본 영단어]

어휘 STARTER

핵심만 빠르게 익히는 〈고교 필수 영단어〉
기출 문장으로 외우는 〈수능 기본 영단어〉
다·품으로 영단어 공부 START!

암기 효율 100%

혼동어, 유의어, 반의어, 파생어
헷갈리는 단어는 쌍으로 암기!
어휘 Tip으로 어휘력과 상식 UPGRADE!

미니 단어장 제공

QR로 보는 '발음+짤강'과 '출제 프로그램'
'미니 단어장'으로 자투리 시간도 알차게,
풍부한 부가자료로 영어 완·전·정·복!

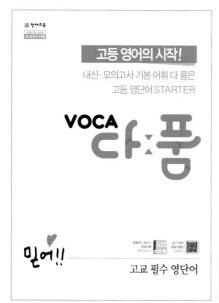

내신+수능+모의고사 어휘 다~ 품은 다:품! 고교 필수 영단어: 예비고~고1 / 수능 기본 영단어: 고1~2

book.chunjae.co.kr

교재 내용 문의	교재 홈페이지 ▶ 고등 ▶ 교재상담
교재 내용 외 문의	교재 홈페이지 ▶ 고객센터 ▶ 1:1문의
발간 후 발견되는 오류	교재 홈페이지 ▶ 고등 ▶ 학습지원 ▶ 학습자료실

7일 끝

시험 대비 독해 기초

7일 끝으로 끝내자!

고등 영어 독해

정답과 해설 •
어휘 모아 보기 •

천재교육

7

7일 끝!

정답과 해설

Book 1

 정답과 해설 활용 만내

◈ 정답 박스로 빠르게 정답 확인하기!

◈ 자세한 설명을 통해 내용 확실하게 익히기!

◈ 영문 해석을 보며 내용 다시 확인하기!

1일 유형 핵심 정리 ❶ 8쪽

예제 마지막 문장에서 글쓴이의 주장을 알 수 있다.

해석 출판사와 신문사에서 다음과 같이 알게 된다. '결국 인쇄물로 나오지 않으면 그것은 실수가 아니다.' 그것은 이메일에서도 마찬가지이다. 전송 버튼을 눌러 버리지 않으면 어떤 나쁜 일도 일어날 수 없다. 여러분이 쓴 글에는 잘못 쓴 철자, 사실의 오류, 무례한 말, 명백한 거짓말이 있을 수 있지만, 그것은 문제가 되지 않는다. 그것을 전송하지 않으면, 아직 그것을 고칠 시간이 있다. 어떤 실수라도 수정할 수 있고 누구도 결코 그 차이를 모를 것이다. 물론, 이것은 말은 쉽지만 행동은 어렵다. 전송은 여러분 컴퓨터의 가장 매력적인 명령어이다. 그러나 그 전송 버튼을 누르기 전에, 반드시 문서를 마지막으로 한 번 주의 깊게 읽어 보라.

1일 유형 확인 문제 9쪽

1 ②   2 ②

[1-2] 해석 ①여러분이 세우는 어떤 목표든 달성하기 어려울 것이고, 여러분은 분명히 도중에 어느 시점에서 실망하게 될 것이다. ②그러니 여러분의 목표들을 시작부터 여러분이 가치 있다고 여기는 것보다 훨씬 더 높게 세우는 것은 어떤가? ③만약 그것들이 일, 노력, 그리고 에너지를 요구한다면, 각각을 10배 더 많이 발휘하는 것은 어떤가? ④"비현실적 목표를 세우는 것으로부터 오는 실망은 어찌할 것인가?"라고 말하며, 여러분은 이의를 제기할지도 모른다. ⑤그러나 여러분의 삶을 되돌아보기 위해 그저 잠깐의 시간을 가져봐라. 아마 여러분은 너무 낮은 목표들을 세우고 그것들을 달성은 했으나, 결국 자신이 원했던 것을 여전히 얻지 못한 것에 깜짝 놀라며 더욱 자주 실망했을 것이다.

1 두 번째 문장은 목표를 본인의 생각보다 더 높게 세우는 것이 어떤지 질문을 통해 필자의 의견을 제시하고 있다.

2 글의 두 번째 문장을 통해 필자가 주장하는 바를 알 수 있다.

1일 유형 핵심 정리 ❷ 10쪽

예제 스트레스를 일으키는 것은 자기 의심이므로 자신의 상황과 강

점을 객관적으로 바라볼 필요가 있다는 내용이다.

해석 무언가에 깊이 관심을 두면, 그 관심 영역에서 성공하기 위한 여러분의 능력에 더 큰 가치를 둘지도 모른다. 성취하거나 사회적으로 성공하기 위해 스스로에게 가하는 내적인 압박은 정상적이고 유용하지만, 자신에게 중요한 영역에서 성공하기 위한 여러분의 능력을 의심하면, 여러분의 자아 존중감은 상처를 입는다. 여러분의 스트레스를 일으키는 것은 결코 수행에 대한 압박이 아니다. 오히려, 여러분을 괴롭히는 것은 바로 자기 의심이다. 의심은 긍정적인 경험, 중립적인 경험, 그리고 심지어 진짜로 부정적인 경험을 더 부정적으로 보게 하고, 여러분 자신의 단점을 반영한 것으로 (그것들을) 보게 한다. 상황과 여러분의 강점을 더 객관적으로 바라볼 때, 여러분은 괴로움의 원천인 의심을 덜 가질 것이다.

1일 유형 확인 문제 11쪽

3 risk   4 ①

[3-4] 해석 사실상 가치 있는 것은 어떤 것이든 우리가 실패나 거절당할 위험을 무릅쓸 것을 요구한다. 이것은 우리 앞에 놓인 더 큰 보상을 성취하기 위해 우리 모두가 지불해야 하는 대가이다. 위험을 무릅쓴다는 것은 언젠가 성공할 것이라는 것을 의미하지만 위험을 전혀 무릅쓰지 않는 것은 결코 성공하지 못할 것임을 의미한다. 인생은 많은 위험과 도전으로 가득 차 있으며, 이 모든 것에서 벗어나기를 원하면 인생이라는 경주에서 뒤처지게 될 것이다. 결코 위험을 무릅쓰지 못하는 사람은 아무것도 배울 수 없다. 예를 들어, 만약 차를 운전하기 위해 위험을 무릅쓰지 않는다면, 여러분은 결코 운전을 배울 수 없다.

3 위험을 무릅쓰지 않는 사람은 아무 것도 배우지 못한다는 내용이 되어야 한다.

4 위험을 무릅쓰지 않고 도전하지 않으면 결코 성공할 수 없다는 내용의 글이다.

1일 적중 예상 베스트 12~13쪽

1 ②   2 ①   3 ①

1 글의 중반 이후에 필자의 주장이 잘 드러나 있다.

해석 좋은 생각을 머릿속에 떠돌게 하는 것은 그것이 이루어지지 않게 하는 확실한 방법이다. 작가들로부터 조언을 얻어라. 그 작가들은 생명력을 얻는 유일한 좋은 생각은 적어둔 것이라는 점을 알고 있다. 종이 한 장을 꺼내 언젠가 하고 싶은 모든 것을 기록하고, 꿈이 100

개에 이르는 것을 목표로 해라. 여러분을 부르고 있는 그것들을 시작하도록 상기시키고 동기 부여하는 것을 갖게 될 것이고, 또한 그 모든 것을 기억하는 부담을 갖지 않을 것이다. 꿈을 글로 적을 때 여러분은 그것을 실행하기 시작하는 것이다.

2 글의 마지막 부분에서 필자가 주장하는 바를 알 수 있다.

해석 2016 Pew Research Center 조사에 따르면, 23퍼센트의 사람들이 한 인기 있는 사회 관계망 사이트에서 우연으로든 의도적으로든 가짜 뉴스의 내용을 공유한 적이 있다고 인정한다. 나는 이것을 의도적으로 무지한 사람들의 탓으로 돌리고 싶은 마음이 든다. 그러나 뉴스 생태계가 너무나 붐비고 복잡해져서 나는 그곳을 항해하는 것이 힘든 이유를 이해할 수 있다. 의심이 들 때, 우리는 내용을 스스로 교차 확인할 필요가 있다. 사실 확인이라는 간단한 행위는 잘못된 정보가 우리의 생각을 형성하는 것을 막아준다.

3 발전을 위한 진정한 장기적 사고는 목표 지향적이지 않으며, 하나의 목표 성취가 아닌 지속적인 개선의 순환에 관한 것이라는 내용이다.

해석 목표 지향적인 사고방식은 "요요" 효과를 낼 수 있다. 많은 달리기 선수들이 몇 달 동안 열심히 연습하지만, 결승선을 통과하자마자 곧 훈련을 중단한다. 그 경주는 더 이상 그들에게 동기를 주지 않는다. 당신이 애쓰는 모든 일이 특정한 목표에 집중될 때, 당신이 그것을 성취한 후에 당신을 앞으로 밀고 나갈 수 있는 것은 무엇인가? 이것이 많은 사람들이 목표를 성취한 후 옛 습관으로 되돌아가는 자신을 발견하는 이유이다. 목표를 설정하는 목적은 경기에서 이기는 것이다. 시스템을 구축하는 목적은 게임을 계속하기 위한 것이다. 진정한 장기적 사고는 목표 지향적이지 않은 사고이다. 그것은 어떤 하나의 성취에 관한 것이 아니다. 그것은 끝없는 정제와 지속적인 개선의 순환에 관한 것이다. 궁극적으로, 당신의 발전을 결정짓는 것은 그 과정에 당신이 전념하는 것이다.

2일 유형 핵심 정리 ❶   16쪽

예제 진솔한 대화는 빠르게 흘러가지만 거짓말을 하게 되면 뇌의 처리 속도가 느려지기 때문에 반응이 늦어진다는 내용의 글이다.

해석 두 사람이 솔직하고 진솔한 대화에 참여하면 정보가 왔다 갔다 하며 흘러간다. 각자가 자신의 개인적인 과거 경험에 의존하고 있기 때문에, 주고받는 속도가 기억만큼 빠르다. 한 사람이 거짓말하면, 그 사람의 반응이 더 느리게 나올 텐데, 뇌는 저장된 사실을 기억해 내는 데 비해 새로 꾸며 낸 이야기의 세부 사항을 처리하는 데에 더 많은 시간이 필요하기 때문이다. 말을 하면서 이야기를 꾸며 내고 있는 누군가와 이야기를 하고 있으면, 여러분은 시간의 지연을 알아

차릴 것이다. 상대가 여러분의 몸짓 언어 역시 읽고 있을지도 모른다는 것과 만약 여러분이 그 사람의 이야기를 믿지 않고 있는 것처럼 보이면, 그 사람은 그 정보를 처리하기 위해 또한 잠시 멈춰야 한다는 것을 잊지 말아야 한다.

① 거짓말의 징후로서 지연되는 답변
② 청취자가 화자를 격려하는 방법
③ 유용한 정보를 찾는 데 있어서의 어려움
④ 사회적 환경에서 선의의 거짓말의 필요성
⑤ 대화의 주제로서 공유된 경험

2일 유형 확인 문제   17쪽

1 ①   **2** ②

[1-2] 해석 ①아이들에게 있어서, 놀이는 발달하는 동안 중요한 기능을 한다. ②유아기의 가장 초기부터, 놀이는 아이들이 세상과 그 안에서의 그들의 위치에 대해 배우는 방식이다. ③아이들의 놀이는 신체적 능력 — 일상 생활에 필요한 걷기, 달리기, 그리고 점프하기와 같은 기술을 발달시키기 위한 훈련의 토대로서 역할을 한다. ④놀이는 또한 아이들이 사회적 행동을 시도하고 배우며, 성인기에 중요할 가치와 성격적 특성을 습득하도록 한다. ⑤예를 들어, 그들은 다른 사람들과 경쟁하고 협력하는 방식, 이끌고 따르는 방식, 결정하는 방식 등을 배운다.

1 아이들에게 있어서 놀이는 신체적 능력, 사회적 행동, 가치와 성격적 특성을 습득하는 데 중요한 역할을 한다는 내용으로, 첫 번째 문장이 주제문이다.

2 아이들이 발달하는 동안 놀이가 어떤 역할을 하는지에 관한 내용이다.

해석 ① 창의적인 생각을 시도해야 할 필요성
② 아이들의 발달에 있어서 놀이의 역할
③ 어른과 아이의 놀이 사이의 차이점
④ 아이들의 신체적 능력이 놀이에 미치는 영향
⑤ 다양한 발달 단계에서 아이들의 요구

2일 유형 핵심 정리 ❷   18쪽

예제 우리가 사고 나서 사용하지 않는 것은 모두 낭비라는 내용이므로 제목으로 ⑤가 적절하다.

해석 여러분이 사 놓고 결국 한 번도 사용하지 않았던 물건에 대해 잠

시 생각해 봐라. 결국 한 번도 입지 않은 옷 한 벌? 한 번도 읽지 않은 책 한 권? 사용하지 않는 물건에 단독으로 호주인들이 매년 평균 108억 호주 달러(약 99억 9천 미국 달러)를 쓰는 것으로 추산되는데, 이는 대학과 도로에 사용하는 정부 지출 총액을 넘는 금액이다. 그 금액은 각 가구당 평균 1,250 호주 달러(약 1,156 미국 달러)이다. 우리가 사고 나서 제자리에서 먼지를 끌어모으기만 하는 모든 물건은 낭비인데, 돈 낭비, 시간 낭비, 그리고 순전히 쓸모없는 물건이라는 의미에서 낭비이다.

① 소비를 통한 경제 활성화
② 통화 관리: 해야 할 일과 하지 말아야 할 일
③ 과도한 쇼핑: 외로움의 징후
④ 낭비의 3R: 줄이기, 재사용하기, 그리고 재활용하기
⑤ 사용하지 않는다면 구입하는 것은 낭비

2일 유형 확인 문제   19쪽

3 ④   **4** ②

[3-4] 해석 예술부터 건강 관리에 이르는 모든 것에서 많은 전통적인 직업의 소실은 인간의 새로운 직업의 생성에 의해서 부분적으로 상쇄될 것이다. 밝혀진 질병을 진단하고 일반적인 처방을 내리는 일을 주로 하는 일반 진료 의사들은 아마도 AI 의사에 의해 대체될 것이다. 그러나 정확히 그것 때문에, 획기적인 연구를 하고 새로운 약이나 수술 절차를 개발하도록 할 인간 의사와 실험실 조교에게 지급할 돈이 훨씬 더 많을 것이다. AI는 또 다른 방식으로 인간의 새로운 직업을 만드는 것을 도울지도 모른다. 인간이 AI와 경쟁하는 대신에, 그들은 AI를 정비하고 활용하는 것에 집중할 수 있다. 예를 들어, 드론에 의한 인간 조종사의 대체는 몇몇 직업을 없애 왔지만, 정비, 원격 조종, 데이터 분석, 그리고 사이버 보안에 있어서 많은 새로운 기회를 만들어 왔다.

3 AI가 인간의 새로운 직업을 만드는 것을 도울 수도 있다는 내용 뒤에 이어지므로, 인간이 'AI'와 경쟁하는 대신에 'AI'를 정비하고 활용하는 것에 집중할 수 있다는 내용이 되는 것이 자연스럽다.

4 이 글은 'AI가 정말 인간의 직업에 위협이 될까?'라는 질문에 대한 답으로, AI가 인간의 새로운 직업을 만드는 것을 도울 수도 있다는 내용이다.
해석 ① 무엇이 로봇을 더 똑똑하게 만드는가?
② AI가 정말 당신의 직업에 위협이 될까?
③ 조심해라! AI가 당신의 마음을 읽을 수 있다
④ 미래의 직업: 작업 감소, 이익 증대
⑤ AI 개발을 위한 지속적인 과제

2일 적중 예상 베스트   20~21쪽

1 ③   **2** ①   **3** ⑤   **4** ②

1 남을 돕는 일에도 연습이 필요하다는 내용의 글이다.
해석 노력과 관련된 다른 어떤 것과 마찬가지로, 연민은 연습이 필요하다. 우리는 곤경에 빠진 다른 사람들과 함께하는 습관을 기르는 데 매진해야 한다. 때때로 도움을 주는 것은 우리의 일상에서 벗어나지 않는 단순한 일—낙담한 사람에게 친절한 말을 해줄 것을 기억하는 것이다. 다른 때에는, 남을 돕는 것은 진정한 희생을 수반한다. 만약 우리가 다른 사람들을 돕기 위해 많은 작은 기회들을 가지는 연습을 한다면, 우리는 진정한 힘든 희생이 필요한 시기가 올 때 행동할 준비가 될 것이다.
① 남과 조화롭게 사는 것의 혜택
② 친절하게 말하는 연습의 효과
③ 남을 돕는 연습의 중요성
④ 어려움에 처한 사람들을 돕기 위한 수단
⑤ 새로운 습관 형성의 어려움

2 자신이 생각한 것을 말하거나 글로 써야 그 생각이 좋은 것인지 나쁜 것인지 알 수 있다는 내용이다.
해석 여러분은 정보가 다른 뇌로 전달될 때까지 한 뇌에 머물러 있으며 대화 속에서 변하지 않는다고 말할 수 있다. 이것이 '단순' 정보에 대해서는 사실이다. 하지만 이것은 지식에 대해서는 사실이 아니다. 지식은 판단에 의존하는데, 여러분은 다른 사람들 혹은 자신과의 대화 속에서 그 판단을 발견하고 다듬는다. 그러므로 여러분은 그것을 상세하게 이야기하거나 쓰고 그 결과를 비판적으로 되돌아볼 때까지 자신의 사고의 세부 내용을 알지 못한다. 말하거나 쓸 때, 여러분은 자신의 형편없는 생각들과 좋은 생각들도 발견하게 된다. 사고는 그것의 표현이 필요하다.

3 실험을 통해 가짜 미소도 스트레스 해소에 도움이 된다는 것을 알게 되었다는 내용이다.
해석 연구자들은 스트레스가 상당한 상황에서 진짜 미소와 억지 미소가 개개인들에게 미치는 영향을 연구하였다. 연구자들은 참가자들이 미소 짓지 않거나, 미소 짓거나, (억지 미소를 짓게 하기 위해) 입에 젓가락을 옆으로 물고서 스트레스를 수반한 과업을 수행하도록 했다. 연구의 결과는 미소가, 억지이든 진짜이든, 스트레스가 상당한 상황에서 인체의 스트레스 반응의 강도를 줄였고, 스트레스로부터 회복한 후의 심장 박동률의 수준도 낮추었다는 것을 보여 주었다.
① 스트레스가 상당한 상황의 원인과 영향
② 스트레스의 개인적 징후와 패턴
③ 신체와 뇌가 스트레스에 반응하는 방법
④ 스트레스: 행복을 위한 필요악

⑤ 가짜 미소도 스트레스 해소에 도움이 될까?

4 교사의 질문은 학생들로 하여금 텍스트를 다시 읽게 하여 텍스트를 이해하는 데 중요한 역할을 한다는 내용이다.

해석 양질의 질문은 교사가 학생의 텍스트에 대한 이해를 확인할 수 있는 한 가지 방법이다. 질문은 또한 학생들의 이해를 심화시키기 위해 그들의 증거 탐색과 텍스트로 되돌아가야 할 필요를 촉진할 수 있다. 학생이 텍스트를 다시 읽게 하는 질문을 던져서 결국 동일한 텍스트를 여러 번 읽게 함으로써 학생의 이해를 진전시키고 심화시키는 데 있어서 교사는 적극적인 역할을 한다. 다시 말해서, 텍스트에 근거한 질문은 학생에게 다시 읽어야 하는 목적을 제공해 주고, 이것은 어려운 텍스트를 이해하는 데 중요하다.

① 지나치게 많은 숙제는 해롭다
② 더 나은 이해를 위해 질문하기
③ 너무 많은 시험은 학생들을 지치게 한다
④ 과학이 아직 답할 수 없는 질문들
⑤ 늘 하나의 정답만 있는 것은 아니다

3일 유형 핵심 정리 ❶ 24쪽

예제 도서관 리모델링 공사에 참여할 자원봉사자를 구하기 위해 쓴 편지글이다.

해석 Eastwood 도서관 회원들께,
Friends of Literature 모임 덕분에, 우리는 도서관 건물을 리모델링하기 위한 충분한 돈을 성공적으로 모았습니다. 우리 지역의 건축업자인 John Baker 씨가 우리의 리모델링을 돕기로 자원했지만, 그는 도움이 필요합니다. 망치나 페인트 붓을 쥐고 시간을 기부함으로써, 여러분은 공사를 도울 수 있습니다. Baker 씨의 자원봉사 팀에 동참하여 Eastwood 도서관을 더 좋은 곳으로 만드는 데 참여하십시오! 더 많은 정보를 원하시면 541-567-1234로 전화해 주십시오.
Mark Anderson 드림

3일 유형 확인 문제 25쪽

1 ④ **2** ③

[1-2] 해석 Wildwood 지역 주민들께,
①Wildwood Academy는 장애와 학습의 어려움을 가진 아이들을 돕고자 하는 지역 학교입니다. ②올해 저희는 학생들 각각이 그들의 음악적 능력을 발전시킬 기회를 갖기를 바라며 음악 수업을 추가 개설하고자 합니다. ③이 수업을 시작하기 위해, 저희는 지금 저희가 가

지고 있는 것보다 더 많은 악기가 필요합니다. ④저희는 여러분이 집을 둘러보고 더 이상 사용하지 않을지도 모르는 악기를 기부하기를 요청합니다. 전화만 주시면 기꺼이 저희가 방문하여 악기를 가져가겠습니다.
교장 Karen Hansen 드림

1 ④ We are asking you to look around ~에서 글쓴이가 요청하는 내용이 잘 드러나 있다.

2 음악 수업의 추가 개설을 위해 필요한 악기를 지역 주민들에게 기부해 달라고 요청하는 편지글이다.

3일 유형 핵심 정리 ❷ 26쪽

예제 대화 시에 휴대전화를 사용하지 않고 근처에 두기만 해도 대화의 질이 나빠져서 사람들 간의 관계가 안 좋아진다는 내용이다.

해석 한 연구에서, 연구자들은 서로 모르는 사람들끼리 짝을 이루어 한 방에 앉아서 이야기하도록 했다. 절반의 방에는 근처 탁자 위에 휴대전화가 놓여 있었고, 나머지 절반의 방에는 휴대전화가 없었다. 대화가 끝난 후, 연구자들은 참가자들에게 서로에 대해 어떻게 생각하는지를 물었다. 여기에 그들이 알게 된 것이 있다. 휴대전화가 없는 방에서 대화했던 참가자들에 비해 방에 휴대전화가 있을 때 참가자들은 자신들의 관계의 질이 더 나빴다고 말했다. 휴대전화가 있는 방에서 대화한 짝들은 자신의 상대가 공감을 덜 보여 주었다고 생각했다.
→ 휴대전화의 존재는 심지어 휴대전화가 무시되고 있을 때조차 대화에 참여하는 사람들 간의 관계를 약화시킨다.

3일 유형 확인 문제 27쪽

3 (A) unfamiliar (B) sad **4** ①

[3-4] 해석 음악이 감정을 표현할 수 있는 한 가지 방법은 단지 학습된 연관을 통해서이다. 우리는 어떤 종류의 음악을 슬프다고 듣게 되는데 우리가 우리의 문화 속에서 그것들을 장례식과 같은 슬픈 일과 연관시키는 것을 학습해 왔기 때문일 것이다. 만약 이 관점이 옳다면, 우리는 문화적으로 친숙하지 않은 음악에 표현된 감정을 이해하는 데 분명 어려움이 있을 것이다. 이 관점과 완전히 반대되는 입장은 음악과 감정 사이의 연결고리는 유사함이라는 것이다. 예컨대, 슬프다고 느낄 때 우리는 느리게 움직이고 낮은 음의 목소리로 느리게 말한다. 따라서 우리가 느리고 낮은 음의 음악을 들을 때, 우리는 그것을

슬프게 듣는다. 만약 이 관점이 옳다면, 우리는 문화적으로 친숙하지 않은 음악에 표현된 감정을 이해하는 데 분명 어려움이 거의 없을 것이다.

3 (A) 문화적인 학습을 통해 음악이 감정을 표현할 수 있다는 관점이 옳다면 문화적으로 '친숙하지 않은' 음악에 표현된 감정을 이해하기 어려울 것이다.
(B) 음악과 감정이 유사하다는 입장에서는 느리고 낮은 음의 음악을 들을 때 우리는 '슬프게' 듣는다.

4 음악이 감정을 표현하는 방법에 대해 두 가지 관점을 설명하고 있는데, 하나는 문화적으로 학습된 연관을 통해서이고, 다른 하나는 음악과 감정 사이의 유사성으로 인한 것이다.
[해석] 음악에 표현된 감정은 문화적으로 학습된 연관을 통해서 이해될 수 있다고 믿어지거나, 혹은 음악과 감정 사이의 유사성 때문에 이해될 수 있다고 믿어진다.

3일 **적중 예상 베스트** 28~29쪽

1 ①   **2** ④   **3** ③

1 글의 초반부에서 고등학생들의 공장 현장 견학을 위해 허가를 요청하는 글임을 알 수 있다.
[해석] Anderson 씨께,
Jeperson 고등학교를 대표해서, 저는 귀사의 공장에서 산업 현장 견학을 할 수 있도록 허가를 요청하기 위해 이 편지를 쓰고 있습니다. 저희는 학생들에게 산업 절차와 관련하여 몇 가지 실제적인 교육을 하기를 희망합니다. 이러한 목적을 생각할 때, 저희는 그러한 프로젝트를 진행하기 위해 귀사가 이상적이라고 믿습니다. 그러나 물론, 저희는 귀사의 승인과 협조가 필요합니다. 협조해 주시면 정말 감사하겠습니다.

2 고장 난 토스터에 대해 불평하는 편지를 썼던 고객에게 교환하는 방법을 안내하기 위해 쓴 답장의 글이다.
[해석] Spadler 씨께,
귀하는 불과 3주 전에 구입한 토스터가 작동하지 않는다고 저희 회사에 불평하는 편지를 쓰셨습니다. 그 토스터는 1년의 품질 보증 기간이 있기 때문에, 저희 회사는 귀하의 고장 난 토스터를 새 토스터로 기꺼이 교환해 드리겠습니다. 새 토스터를 받으시려면, 귀하의 영수증과 고장 난 토스터를 구매했던 판매인에게 가져가시기만 하면 됩니다. 그 판매인이 그 자리에서 바로 새 토스터를 드릴 것입니다. 만약 저희가 귀하를 위해 할 수 있는 그 밖의 어떤 일이 있다면, 주저하지 말고 요청하십시오.

3 서투른 코치는 선수의 실수를 지적하지만, 좋은 코치는 실수 후에 어떻게 해야 하는지에 대해 말함으로써 선수가 긍정적인 이미지를 상상하도록 한다.
[해석] 서투른 코치는 당신이 무엇을 잘못했는지 알려주고 나서 다시는 그러지 말라고 말할 것입니다: "공을 떨어뜨리지 마라!" 그 다음에 무슨 일이 일어날까? 당신이 머릿속에서 보게 되는 이미지는 당신이 공을 떨어뜨리는 이미지이다! 당연히, 당신의 마음은 그것이 들은 것을 바탕으로 방금 "본" 것을 재현한다. 놀랄 것도 없이, 당신은 코트에 걸어가서 공을 떨어뜨린다. 좋은 코치는 무엇을 하는가? 그 사람은 개선될 수 있는 것을 지적하지만, 그 후에 어떻게 할 수 있는지 또는 어떻게 해야 하는지에 대해 말할 것이다: "이번에는 네가 공을 완벽하게 잡을 거라는 걸 알아." 아니나 다를까, 다음으로 당신의 마음속에 떠오르는 이미지는 당신이 공을 '잡고' '득점하는' 것이다. 다시 한 번, 당신의 마음은 당신의 마지막 생각을 현실의 일부로 만들지만, 이번에는, 그 "현실"이 부정적이지 않고, 긍정적이다.
→ 선수의 실수에 초점을 맞추는 유능하지 않은 코치와 달리, 유능한 코치는 선수들이 성공적인 경기를 상상하도록 격려함으로써 그들이 향상되도록 돕는다.

4일 **유형 핵심 정리 ❶** 32쪽

예제 빈칸 앞에는 작은 마을의 상황, 빈칸 뒤에는 큰 도시의 상황을 설명하고 있으므로 대조의 의미를 나타내는 연결어가 적절하다.
[해석] 작은 마을에서는 똑같은 직공이 의자와 문과 탁자를 만들고, 흔히 바로 그 사람이 집을 짓는다. 그리고 물론 여러 직종에 종사하는 사람이 그 직종 모두에 능숙하기는 불가능하다. 반면에, 큰 도시에서는 많은 사람들이 각 직종을 필요로 하기 때문에, 직종 하나만으로도 한 사람을 먹고 살게 하기에 충분하다. 예를 들어, 어떤 사람은 남성용 신발을 만들고, 다른 사람은 여성용 신발을 만든다. 그리고 어떤 사람은 신발에 바느질만 하고, 다른 사람은 그것을 잘라내는 것으로, 또 다른 사람은 신발의 윗부분을 꿰매 붙이는 것으로 한 사람이 생계를 꾸리는 경우까지도 있다.
① 그 결과 ② 결과적으로 ③ 게다가 ④ 예를 들면 ⑤ 반면에

4일 **유형 확인 문제** 33쪽

1 brain   **2** ②

[1-2] [해석] 인간과 동물의 욕망을 비교할 때 우리는 많은 특별한 차이점을 발견한다. 동물은 위장으로, 사람은 뇌로 먹는 경향이 있다. 동물은 배가 부르면 먹는 것을 멈추지만, 인간은 언제 멈춰야 할지 결코

확신하지 못 한다. 인간은 배에 담을 수 있는 만큼 많이 먹었을 때, 그들은 여전히 허전함을 느끼고, 추가적인 만족감에 대한 충동을 느낀다. 이것은 주로 지속적인 식량 공급이 불확실하다는 인식에 따른 불안감 때문이다. <u>그러므로</u>, 그들은 먹을 수 있을 때 가능한 한 많이 먹는다.

1 인간과 동물을 비교하면서 동물은 위장으로, 사람은 뇌로 먹는 경향이 있다고 했다.

2 빈칸 앞뒤의 내용이 인과 관계이므로 결론의 의미를 나타내는 연결어 Therefore가 적절하다.
[해석] ① 하지만 ② 그러므로 ③ 게다가 ④ 더욱이 ⑤ 그럼에도 불구하고

4일 유형 핵심 정리 ❷　34쪽

예제 오늘날의 뮤지션들은 외부의 도움 없이 스스로 음악과 관련된 일을 처리할 수 있게 되었다는 내용이다. ③ TV 오디션을 이용하여 나이 어린 뮤지션들을 마케팅한다는 내용은 글의 흐름과 관계가 없다.
[해석] 오늘날의 음악 사업은 뮤지션들이 스스로 일을 처리할 수 있게 해 주었다. ① 뮤지션들이 음반사나 TV 프로그램의 문지기(권력을 쥐고 사람들이 들어가는 것을 막는 사람)가 그들[뮤지션들]이 주목받을 만하다고 말해 주기를 기다리던 시대는 지났다. ② 오늘날의 음악 사업에서는 팬층을 만들기 위해 허락을 요청할 필요가 없다. ③(TV 오디션을 이용하여 나이 어린 뮤지션들을 마케팅하는 것에 대한 우려가 증가하고 있다.) ④ 매일 뮤지션들은 어떤 외부의 도움도 없이 수천 명의 청취자에게 자신들의 음악을 내놓고 있다. ⑤ 그들은 매스컴에 출연하거나 수천 명의 청취자와 관계를 형성하기 위해 허락이나 외부의 도움을 요청하지 않고, 간단히 자신들의 음악을 팬들에게 직접 전달한다.

4일 유형 확인 문제　35쪽

3 ⑤　**4** ④

[3-4] [해석] 연사들은 연설하는 동안 청중에게 '귀 기울이기' 때문에 대중 연설은 청중 중심이다. 그들은 청중의 피드백, 즉 청중이 연사에게 주는 언어적, 비언어적 신호를 주시한다. ① 청중의 피드백은 흔히 청중들이 연사의 생각을 이해하고, 관심을 갖고, 받아들일 준비가 되었는지를 보여 준다. ② 이 피드백은 연사를 여러모로 도와준다. ③ 그것

은 연사가 언제 속도를 늦출지, 언제 무언가를 더 주의해서 설명할지, 혹은 언제 연설의 끝에 있는 질의응답 시간에 어떤 주제로 되돌아 갈 것이라고 청중에게 말할지까지도 파악하는 데 도움이 된다. ④(무대 불안을 줄이기 위해 연사가 자신의 원고를 암기하는 것이 중요하다.) ⑤ 청중의 피드백은 연사가 청중과 존중하는 관계를 만드는 것을 도와준다.

3 연사들은 연설하는 동안 청중에게 귀 기울인다고 했으므로 '청중'이 중심이 되어야 한다.

4 연사는 연설하는 동안 청중의 피드백에 주시하여 연설을 어떻게 이끌어 갈지 도움을 받는다는 내용이다. ④ 연사의 무대 불안에 관한 내용은 글의 흐름과 관계가 없다.

4일 적중 예상 베스트　36~37쪽

1 ①　**2** ④　**3** ③　**4** ③

1 빈칸 앞뒤의 내용이 인과 관계이므로, 연결어로 Thus가 적절하다.
[해석] 동기 부여의 한 가지 결과는 상당한 노력을 필요로 하는 행동이다. 예를 들면, 만약 좋은 자동차를 사고자 하는 동기가 있다면, 당신은 온라인으로 자동차들을 검색하고, 광고를 자세히 보며, 자동차 대리점들을 방문하는 것 등을 할 것이다. 동기 부여는 목표를 더 가까이 가져오는 최종 행동을 이끌 뿐만 아니라, 준비 행동에 시간과 에너지를 쓸 의지를 만들어 내기도 한다. 따라서, 새 스마트폰을 사고자 하는 동기가 있는 사람은 그것을 위해 추가적인 돈을 벌고, 가게에 가기 위해 폭풍 속을 운전하며, 그것을 사려고 줄을 서서 기다릴지도 모른다.
① 따라서 ② 하지만 ③ 게다가 ④ 그에 반해서 ⑤ 그럼에도 불구하고

2 앞 문장의 내용에 첨가하는 내용이므로 In addition이 적절하다.
[해석] 1976년에 호텔을 개업한 이래로, 우리는 에너지 소비와 낭비를 줄임으로써 우리 지구를 보호하는 것에 헌신해 왔습니다. 지구를 보호하려는 노력으로, 우리는 새로운 정책을 채택했고, 여러분의 도움을 필요로 합니다. 만약 여러분이 문에 Eco 카드를 걸어두시면, 우리는 여러분의 침대 시트와 베갯잇 그리고 잠옷을 교체하지 않을 것입니다. 덧붙여, 컵이 씻길 필요가 없다면, 우리는 컵을 손대지 않고 둘 것입니다. 여러분의 협조에 대한 보답으로, 우리는 여러분을 대신하여 National Forest Restoration Project에 기부할 것입니다. 우리의 친환경 정책에 대한 여러분의 협조에 감사드립니다.
① 그러므로 ② 하지만 ③ 예를 들면 ④ 게다가, 덧붙여 ⑤ 반면에

3 우리가 주의를 기울이고 관계를 발전시킬 수 있는 사람의 수에

한계가 있다는 내용이다. ③은 글 전체의 흐름과 관계 없는 내용이다.

해석 일부 사람들에게 주의를 기울이고 다른 사람들에게 그렇게 하지 않는 것이 여러분이 남을 무시하고 있다거나 거만하게 굴고 있다는 것을 의미하지는 않는다. ①그것은 단지 명백한 사실을 나타낼 뿐인데, 우리가 아마 주의를 기울이거나 관계를 발전시킬 수 있는 사람의 수에 한계가 있다는 것이다. ②일부 과학자들은 우리가 안정된 사회적 관계를 지속할 수 있는 사람의 수가 우리의 뇌에 의해 자연스럽게 제한되는 것일지도 모른다고까지 믿는다. ③(여러분이 다른 배경의 사람들을 더 많이 알수록, 여러분의 삶은 더 다채로워진다.) ④Robin Dunbar 교수는 우리의 마음은 정말로 최대 약 150명의 사람들과 의미 있는 관계를 형성할 수 있을 뿐이라고 설명했다. ⑤그것이 사실이든 아니든, 우리가 모든 사람과 진정한 친구가 될 수 있는 것은 아니라고 가정하는 것이 안전하다.

4 우리가 하는 모든 행동은 우리가 속해 있는 문화 때문이라는 내용이다. ③은 문화적 다양성에 대한 내용이다.

해석 우리들 중 많은 사람들이 왜 우리가 습관적으로 하던 것을 하고 생각하던 것을 생각하는지에 대한 고찰 없이 삶을 살아간다. 왜 우리는 하루 중 그렇게 많은 시간을 일하면서 보낼까? 왜 우리는 돈을 저축할까? ①만약 그러한 질문들에 대해 대답하기를 강요받는다면, 우리는 "그것이 우리 같은 사람들이 하는 것이기 때문이다."라고 말함으로써 대답할지도 모른다. ②하지만 이런 것들 중 어떤 것에 있어서도 자연스럽거나, 필수적이거나, 불가피한 것은 없다. 대신에, 우리는 우리가 속해 있는 문화가 우리에게 그렇게 하도록 강요하기 때문에 이와 같이 행동한다. ③(우리가 문화적 다양성에 대한 질문들의 답을 찾으려고 노력할 때, 우리는 문화가 옳거나 틀린 것에 대한 것이 아니라는 것을 깨닫게 된다.) ④우리가 살고 있는 문화는 가장 널리 스며 있는 방식으로 우리가 생각하고, 느끼고, 행동하는 방식을 형성한다. ⑤우리가 우리인 것은 바로 우리의 문화에도 불구하고가 아니라, 정확히 우리의 문화 때문이다.

5일 유형 핵심 정리 ❶ 40쪽

예제 주어진 문장의 a trip은 ④ 앞의 문장에 있는 미지의 땅으로 떠나는 것을 의미하고, ④ 뒷문장의 they는 주어진 문장의 the native inhabitants를 가리킨다.

해석 인류의 지속적인 생존은 환경에 적응하는 우리의 능력으로 설명될 수 있을 것이다. 우리가 고대 조상들의 생존 기술 중 일부를 잃어버렸을지도 모르지만, 새로운 기술이 필요해지면서 우리는 새로운 기술을 배웠다. 오늘날, 우리가 현대 기술에 더 크게 의존함에 따라 한때 우리가 가졌던 기술과 현재 우리가 가진 기술 사이의 간격이 어느 때보다 더 커졌다. 그러므로, 미지의 땅으로 향할 때에는, 그 환경

에 대해 충분히 준비하는 것이 중요하다. 떠나기 전에, 토착 주민들이 어떻게 옷을 입고 일하고 먹는지를 조사하라. 그들이 어떻게 자신들의 생활 방식에 적응했는가는 여러분이 그 환경을 이해하도록 도울 것이고, 여러분이 최선의 장비를 선별하고 적절한 기술을 배우도록 해 줄 것이다.

5일 유형 확인 문제 41쪽

1 ④ **2** ④

[1-2] 해석 현재, 우리는 인간을 다른 행성으로 보낼 수 없다. 한 가지 장애물은 그러한 여행이 수년이 걸릴 것이라는 점이다. 우주선은 긴 여행에서 생존에 필요한 충분한 공기, 물, 그리고 다른 물자를 운반할 필요가 있을 것이다. 또 다른 장애물은 극심한 열과 추위 같은, 다른 행성들의 혹독한 기상 조건이다. 어떤 행성들은 착륙할 지면조차 가지고 있지 않다. 이러한 장애물들 때문에, 우주에서의 대부분의 연구 임무는 승무원이 탑승하지 않은 우주선을 사용해서 이루어진다. 이런 탐험들은 인간의 생명에 아무런 위험도 주지 않으며 우주 비행사들을 포함하는 탐험보다 비용이 덜 든다. 이 우주선은 행성의 구성 성분과 특성을 실험하는 기구들을 운반한다.

1 주어진 문장의 these obstacles는 여행에 수년이 걸린다는 것과, 혹독한 기상 조건과 착륙할 지면조차 없다는 것을 가리키므로 ④에 들어가는 것이 적절하다.

2 ④는 본문에서 전혀 언급되지 않은 내용이다.

5일 유형 핵심 정리 ❷ 42쪽

예제 공으로 하는 스포츠에서는 공의 크기와 무게, 단단함에 관한 규칙들이 있는데 공의 재질과 탄성도 중요하다는 내용이다.

해석 거의 모든 주요 스포츠 활동은 공을 갖고 행해진다. (B) 경기의 규칙들은 공의 크기와 무게부터 시작해서 허용되는 공의 유형에 관한 규칙들을 늘 포함하고 있다. 공은 또한 특정 정도의 단단함을 갖추어야 한다. (A) 공이 적절한 크기와 무게를 갖출 수 있으나 속이 빈 강철 공으로 만들어지면 그것은 너무 단단할 것이고, 무거운 중심부를 가진 가벼운 발포 고무로 만들어지면 그 공은 너무 물렁할 것이다. (C) 마찬가지로, 공은 단단함과 더불어 적절히 틸 필요가 있다. 순전히 고무로만 된 공은 대부분의 스포츠에 지나치게 잘 튈 것이고, 순전히 점토로만 된 공은 전혀 튀지 않을 것이다.

5일 유형 확인 문제

43쪽

3 ② **4** ②, ③

[3-4] (해석) 얼마나 많은 정보를 공개하는 것이 적절한지에 관한 생각은 문화마다 다르다. (B) 미국에서 태어난 사람들은 정보를 잘 공개하려는 경향이 있고, 자기 자신에 관한 정보를 낯선 이에게 기꺼이 공개하려는 의향을 보이기까지 한다. 이것은 왜 미국인들을 만나는 것이 특히 쉬워 보이는지와 그들이 칵테일 파티에서의 대화에 능숙한지를 설명할 수 있다. (A) 반면에, 일본인들은 자신과 매우 친한 소수의 사람들을 제외하고는 타인에게 자신에 관한 정보를 거의 공개하지 않는 경향이 있다. 일반적으로 아시아인들은 낯선 이에게 관심을 내보이지 않는다. (C) 그러나 그들은 조화를 관계 발전에 필수적이라고 간주하기 때문에 서로를 매우 배려하는 모습을 보인다. 그들은 자신이 불리하다고 믿는 정보를 외부인이라고 간주되는 사람들이 얻지 못하도록 열심히 노력한다.

3 각 단락의 첫 부분에 쓰인 연결어나 단서를 확인한다. 미국인의 정보 공개에 관한 문화를 소개하고, 반면에 일본인을 비롯한 아시아인들은 미국인과는 다른 문화를 가지고 있다는 내용이다.

4 이유를 나타내는 접속사가 들어가야 한다.

5일 적중 예상 베스트

44~45쪽

1 ④ **2** ③ **3** ②

1 주어진 문장의 The other main clue ~로 보아 첫 번째 단서인 목소리의 어조에 대한 내용 다음인 ④에 들어가는 것이 적절하다.

(해석) 당신은 다른 누군가가 어떻게 느끼고 있는지를 당신이 어떻게 알 수 있을지에 대해 생각해 본 적이 있는가? 때때로, 친구들이 당신에게 그들이 행복하거나 슬프다고 말할지도 모르지만, 당신에게 말하지 않는다고 해도, 나는 당신이 그들이 어떤 기분을 느끼고 있는지에 대해 잘 추측할 수 있을 것이라고 확신한다. 당신은 그들이 사용하는 목소리의 어조로부터 단서를 얻을지도 모른다. 예를 들어, 그들이 화가 나 있다면 그들은 목소리를 높일 것이고, 그들이 무서워하고 있다면 떠는 식으로 말할 것이다. 친구가 어떻게 느끼고 있는지에 대해 알기 위해 당신이 사용할 그 나머지 주요한 단서는 그나 그녀의 얼굴 표정을 보는 것일 것이다. 우리는 얼굴에 많은 근육들이 있는데 이는 우리의 얼굴을 많은 다른 위치로 움직일 수 있게 한다. 이것이 우리가 특정한 감정을 느낄 때 자동적으로 일어난다.

2 주어진 문장은 무대 감독이 관객의 관심을 얻는 것에 대한 내용이므로 무대에 대한 내용 다음인 ③에 들어가는 것이 적절하다. 또한, ③ 다음 문장의 This는 주어진 문장의 내용을 가리킨다.

(해석) 영화에서 (관객의) 집중을 얻는 것은 쉽다. 감독은 자신이 관객으로 하여금 바라보기를 원하는 어떤 것에든 단지 카메라를 향하게 하면 된다. 근접 촬영과 느린 카메라 촬영이 살인자의 손이나 등장인물의 짧은 죄책감의 눈짓을 강조할 수 있다. 관객이 자신이 원하는 어느 곳이든 자유롭게 볼 수 있기 때문에 무대 위에서는 (관객의) 집중이 훨씬 더 어려운 일이다. 무대 감독은 관객의 관심을 얻어서 그들의 시선을 특정한 장소나 배우로 향하게 해야만 한다. 이것은 조명, 의상, 배경, 목소리, 움직임을 통해 이루어질 수 있다. 단지 한 명의 배우에게 스포트라이트를 비추거나, 한 명의 배우는 빨간색으로 입히고 다른 모든 배우들은 회색으로 입히거나, 다른 배우들이 가만히 있는 동안 한 명의 배우는 움직이게 함으로써 (관객의) 집중이 얻어질 수 있다. 이러한 모든 기법들은 감독이 (관객의) 집중 안에 들기를 원하는 배우 쪽으로 관객의 관심을 빠르게 끌게 될 것이다.

3 주어진 문장에 대해 예를 들어 설명하는 내용이 이어지고 있다. 판매원이 작은 요구를 먼저 한 후에, 다른 요구를 하게 되면 사람들은 그 요구도 들어줄 가능성이 높은데, 이것은 사람들이 일관되기를 원하기 때문이다.

(해석) 사람들이 수락할 작은 요구를 하는 것이 나중에 그들이 더 큰 요구를 수락할 가능성을 자연스럽게 증가시킬 것이다. (B) 예를 들어, 한 판매원이 여러분에게 동물들에 대한 학대를 막기 위한 청원서에 서명하도록 요구할지도 모른다. 이것은 아주 작은 요구이고, 대부분의 사람들은 판매원이 요구하는 바를 할 것이다. (A) 그 이후에, 판매원은 여러분에게 동물 실험을 거치지 않고 개발된 어떤 화장품을 자신의 매장에서 사는 것에 여러분이 관심이 있는지를 물어본다. 청원서에 서명해 달라는 이전 요구에 사람들이 동의한다는 사실을 고려하면, 그들이 화장품을 구매할 가능성이 더 높을 것이다. (C) 그 판매원이 인간의 자기 말과 행동에 있어 일관되고자 하는 경향을 이용하기 때문에 그들은 그러한 구매를 한다. 사람들은 일관되기를 원하며 만약 자신이 이미 한 번 그렇게 말했다면 계속 예라고 말할 것이다.

6일 누구나 100점 테스트 1회

46~47쪽

1 ⑤ **2** ③ **3** ④ **4** ① **5** ⑤ **6** ⑤ **7** ①

[1-2] (해석) 어떤 모래는 조개껍질이나 암초와 같은 것들로부터 바다에서 만들어지기도 하지만, 대부분의 모래는 멀리 산맥에서 온 암석의 작은 조각들로 이루어져 있다! 그런데 그 여정은 수천 년이 걸릴 수 있다. 빙하, 바람 그리고 흐르는 물이 이 암석 조각들을 운반하는 데 도

움이 되고, 작은 여행자들(암석 조각들)은 이동하면서 점점 더 작아진다. 만약 운이 좋다면, 강물이 그것들을 해안까지 내내 실어다 줄지도 모른다. 거기서, 그것들은 해변에서 모래가 되어 여생을 보낼 수 있다.

[어휘] form: 만들다, 형성하다 shell: 조개껍질 be made up of: ~으로 이루어지다 tiny: 작은 all the way: 멀리, 내내 glacier: 빙하 bit: 작은 조각

1 '작은 여행자들'은 바로 앞에 언급된 '암석 조각들(rocky bits)'을 가리킨다.

2 바닷가에 있는 대부분의 모래가 어떻게 형성되는지 그 과정을 설명하는 글이다.
[해석] ① 물의 이동을 유발하는 것
② 모래의 크기를 결정하는 요인
③ 대부분의 바닷가 모래가 형성되는 방법
④ 다양한 산업에서의 모래의 많은 용도
⑤ 해변에서 모래가 사라지고 있는 이유

[3-4] [해석] Sue Jones 씨께,
귀하가 아시다시피, 모든 신입 사원이 모든 부서에서 경험을 얻어야 하는 것이 우리 회사의 정책입니다. 귀하는 판매부에서 3개월을 채웠으므로, 다음 부서로 옮겨야 할 때입니다. 다음 주부터, 귀하는 마케팅부에서 일하게 될 것입니다. 귀하가 새 부서에서 훌륭하게 일하는 것을 보기를 기대합니다.
인사 담당 이사 Angie Young 드림
[어휘] policy: 정책, 방침 employee: 사원, 직원 gain: 얻다 department: 부(서), 과 complete: 채우다, 완료하다 look forward to -ing: ~을 기대하다 personnel: 인사의

3 From next week, you will be working in the Marketing Department.에서 답을 알 수 있다.

4 판매부에서 3개월을 채웠으므로 다음 부서인 마케팅부로 이동할 것을 통보하는 인사 담당자의 편지이다.

[5-6] [해석] 당신이 먼저 먹는 요리가 당신의 전체 식사에 닻을 내리는 음식의 역할을 한다. 실험은 사람들이 먼저 먹는 음식의 양을 거의 50% 더 많이 먹는다는 것을 보여 준다. 만약 당신이 디너로로 시작하면, 당신은 더 많은 녹말과 더 적은 단백질, 그리고 더 적은 채소를 먹을 것이다. 접시에 있는 가장 건강에 좋은 음식을 먼저 먹어라. 오래된 지혜에서 알 수 있듯이, 이것은 보통 채소나 샐러드를 먼저 먹는 것을 의미한다. 만약 당신이 건강에 좋지 않은 음식을 먹을 것이라면, 적어도 그것을 마지막 순서로 남겨둬라. 이것은 여러분이 녹말이나 설탕

이 든 디저트로 이동하기 전에 당신의 몸을 더 나은 선택 사항들로 채울 기회를 줄 것이다.

[어휘] quantity: 양 protein: 단백질 plate: 접시 opportunity: 기회 fill up: 채우다

5 건강에 좋은 음식으로 가장 적절한 것은 '채소나 샐러드'이다.

6 글의 중반부에 있는 Eat the healthiest food on your plate first.에서 필자의 주장을 알 수 있다.

7 다른 사람의 요청을 항상 승낙함으로써 자신의 삶에 대해 통제권을 갖지 않게 되고 불편한 감정이 쌓이면 스트레스가 생긴다는 내용이다.
[해석] 여러분 중 얼마나 많은 사람이 거절하는 데 어려움을 겪고 있을까? 어떤 사람이 여러분에게 무엇을 요청하더라도, 그것이 여러분에게 아무리 많은 불편함을 주더라도 여러분은 그들이 요구하는 것을 한다. 항상 승낙함으로써 여러분이 불편함이라는 감정을 쌓아가고 있기 때문에 이것은 건강한 삶의 방식이 아니다. 여러분은 조만간 무슨 일이 벌어질지 아는가? 여러분이 자신의 삶과 자신을 행복하게 만드는 것에 대해 더 이상 통제권을 갖지 않기 때문에, 여러분은 여러분이 거절하지 못할 것 같은 사람에게 분개할 것이다. 여러분은 다른 사람이 여러분의 삶에 대한 통제권을 갖도록 하고 있다. 여러분이 감정적으로 억눌리고 끊임없이 여러분 자신의 의지에 반하는 일들을 할 때, 스트레스가 여러분이 셋까지 셀 수 있는 것보다 더 빠르게 여러분을 잡아먹을 것이다.
[어휘] inconvenience: 불편, 애로 request: 요구하다 resent: 분개하다 control: 통제, 지배 allow: 허락하다 suppress: 억누르다, 참다 constantly: 끊임없이

6일 누구나 100점 테스트 2회   48~49쪽

1 ② **2** ③ **3** ① **4** ⑤ **5** peer-oriented **6** ①

[1-2] [해석] 'near'과 'far' 같은 단어들은 여러분이 무엇을 하고 있는지에 따라 여러 가지를 의미할 수 있다. 만약 여러분이 동물원에 있고, 동물 우리의 창살 사이로 손을 뻗어 동물을 만질 수 있다면 여러분은 그 동물이 '가까이'에 있다고 말할지도 모른다. ①여기서 'near'이라는 단어는 팔 하나 만큼의 길이를 의미한다. ②여러분이 누군가에게 동네 가게에 가는 방법을 말해주고 있다면, 만약 그 거리가 걸어서 5분 거리라면 그것을 '가까이'라고 말할 수도 있을 것이다. ③(당신은 건강을 개선하기 위해 그 가게로 걸어가는 것이 더 좋을 것 같다.) ④이제 'near'이라는 단어는 팔 하나 만큼의 길이보다 훨씬 더 길다는 것을 의미한다. ⑤'near', 'far', 'hot', 그리고 'cold'와 같은 단어들은 모두 다른 때에 다른 사람들에게 다른 것을 의미한다.

어휘 depending on: ~에 따라   reach out: 손을 뻗다
length: 길이   improve: 향상시키다, 개선하다

1 걸어서 5분 거리를 나타내는 near는 손을 뻗어 만질 수 있는 거리를 타나내는 near보다 훨씬 '더 긴' 거리를 의미한다.

2 ③ 건강을 위해 걷는 것이 좋다는 내용은 글의 흐름과 거리가 멀다.

3 붐비는 축구장에서 앞줄의 관중이 일어나면 연쇄 반응이 일어나(A) 모든 사람이 일어서게 되어 그 누구의 위치도 나아지지 않는다(C). 이때 누군가가 일어서기를 거부하면 경기에 있지 않는 것이 낫다(B)는 내용이다.

해석 학생들은 공부에 관심이 없을 때조차도 좋은 성적을 얻기 위해 공부한다. 사람들은 심지어 이미 가지고 있는 직업에 만족할 때조차도 더 나은 직업을 추구한다. (A) 그것은 마치 사람들로 붐비는 축구 경기장에서 중요한 경기를 관람하는 것과 같다. 몇 줄 앞에 있는 한 관중이 더 잘 보기 위해 일어서고, 뒤이어 연쇄 반응이 일어난다. (C) 단지 이전처럼 잘 보기 위해 곧 모든 사람들이 일어서게 된다. 모두가 앉기보다는 일어서지만, 그 누구의 위치도 나아지지 않았다. (B) 그리고 만약 누군가가 일어서기를 거부한다면, 그는 경기에 있지 않는 것이 나을 것이다. 사람들이 위치에 관련된 재화(이익)를 추구할 때, 그들은 치열하고 무의미한 경쟁을 하지 않을 수 없다. 뛰지 않기로 선택하는 것은 지는 것이다.

어휘 seek: 추구하다   advancement: 발전, 진보   crucial: 중요한   spectator: 관중   row: 줄   chain reaction: 연쇄 반응   refuse: 거부하다   pursue: 추구하다   can't help -ing: ~하지 않을 수 없다   rather than: ~보다는

[4-5] 해석 여러분의 성향과 책임감은 여러분의 직업, 그리고 취미뿐만 아니라 학습 능력과 방식에도 영향을 준다. 어떤 사람들은 매우 자기 주도적이다. 그들은 평생 학습자가 될 가능성이 더 크다. 많은 사람들은 독립적인 학습자인 경향이 있고 자신을 가르칠 선생님이 있는 구조화된 수업을 필요로 하지 않는다. 다른 사람들은 동료 지향적이며 익숙하지 않은 상황에서 자주 다른 사람의 지도를 따른다. 그들은 형식적인 교육 환경의 도움으로부터 혜택을 받을 가능성이 더 크다. 그들은 형식적인 학습 계획을 직접 접하지 않거나 친구 혹은 배우자의 영향이 없으면 평생에 걸쳐 학습을 추구할 가능성이 더 낮을 수도 있다.

어휘 affect: 영향을 미치다   self-driven: 자기 주도적인   structured: 구조화된   instructor 강사   peer-oriented: 동료 지향적인   direct: 직접적인   access: 접근   spouse: 배우자   benefit: 혜택   assistance: 도움, 원조

4 자기 주도적인(self-driven) 사람들과 동료 지향적인(peer-

oriented) 사람들을 비교하는 내용이다. 주어진 문장은 동료 지향적인 사람들의 특징이므로 ⑤에 들어가는 것이 적절하다.

5 Some people are very self-driven.과 대응되는 문장은 Other individuals are peer-oriented ~이다.

6 눈은 가장 중요한 협동 수단 중 하나인데, 차량을 운행하는 동안은 너무 빨리 움직여서 시선을 마주칠 수 없기 때문에 사람들이 도로에서 비협조적이 된다는 내용이다.

해석 협동을 하는 진화적이거나 문화적인 많은 이유가 있지만, 눈은 가장 중요한 협동 수단 중 하나이고, 시선의 마주침은 우리가 차량 운행 중에 잃는 가장 강력한 인간의 힘일지도 모른다. 그것은 보통은 꽤 협동적인 종인 인간이 도로에서 그렇게 비협조적이 될 수 있는 이유라고 주장할 수 있다. 대부분의 시간에 우리가 너무 빨리 움직이고 있어서, 우리는 시속 20마일 정도에서 시선을 마주치는 능력을 잃기 시작하거나, 혹은 (서로를) 보는 것이 안전하지 않다. 어쩌면 우리의 시야가 차단되어 있을 수도 있다. 흔히 다른 운전자들이 선글라스를 끼고 있거나 그들의 자동차에는 색이 옅게 들어간 창문이 있을 수 있다.
→ 운전하는 동안, 사람들은 비협조적이 되는데, 왜냐하면 그들이 거의 시선을 마주치지 않기 때문이다.

어휘 evolutionary: 진화적인   cooperation: 협동, 협력   means: 수단   eye contact: 시선의 마주침   force: 힘   traffic: (차량) 운행, 교통   arguably: 주장하건데   noncooperative: 비협조적인

6일 창의·융합·서술·코딩 테스트 1회   50~51쪽

Ⓐ permission – 허가, 허락 / donate – 기부하다 /
appropriate – 적절한 / individual – 개개의, 각각의 /
interpret – 해석하다, 이해하다 / diversity – 다양성
Ⓑ Success Doesn't Come without Failure
Ⓒ Emily, 결론을 나타낼 때는 thus나 so 등의 연결어를 쓰고, 반론을 제기할 때는 but, however, nevertheless 등을 쓴다.
Ⓓ 3, 1, 2

β 글의 마지막 부분에 글의 주제가 잘 나타나 있다. Failure precedes success.(실패는 성공에 선행한다.)를 통해 글의 제목을 유추할 수 있다.

해석 어떤 사람들이 역사상 최고라고 부르는 훌륭한 테니스 선수인 Roger Federer는 기록적인 20개의 그랜드슬램 타이틀을 따냈다. 하지만, 그는 60회가 넘는 그랜드슬램 대회에 출전했다. 따라서, 아마도 가장 훌륭한 그 테니스 선수는 출전 횟수 중 3분의 2가 넘게 실

패했을 것이다. 우리는 그를 실패자가 아니라 오히려 챔피언으로 생각하지만, 분명한 사실은 이 계산상 그가 성공한 것보다 훨씬 더 많이 실패했다는 것이고, 그것은 일반적으로 누구에게든 마찬가지이다. 실패는 성공에 선행한다. 실패가 과정의 일부라는 것을 그저 받아들이고 그것을 계속해 나아가라.

[어휘] record: 기록　compete: (시합에) 참가하다, 경쟁하다
failure: 실패　plain: 분명한　measure: 측정　precede: 선행하다

C Emily의 말 중 결론을 나타낼 때와 반론을 제기할 때의 연결어가 서로 바뀌어야 한다.

D 아들들이 편지에 답장을 하지 않는다는 누이의 불평을 들은 Carnegie가 어떻게 이들에게 즉각 답장을 받을 수 있었는지 해결법을 설명하는 내용이다.

[해석] 20세기 초 대단한 경영인인 Andrew Carnegie가 한 번은 자신의 누이가 두 아들에 대해 불평하는 것을 들었다.
그들은 집을 떠나 대학을 다니면서 좀처럼 그녀의 편지에 답장을 하지 않았다. Carnegie는 자신이 그들에게 편지를 쓰면 즉각 답장을 받을 것이라고 그녀에게 말했다.
그는 두 통의 훈훈한 편지를 그 아이들에게 보냈고, 그들 각각에게 (그 당시에는 큰 액수의 돈이었던) 100달러짜리 수표를 보내게 되어 기쁘다고 그들에게 말했다. 그때 그는 편지들을 부쳤지만, 수표들을 동봉하지는 않았다.
며칠 이내에 그는 두 아이들로부터 훈훈한 감사의 편지를 받았고, 그들은 편지의 말미에 그(Carnegie)가 유감스럽게도 수표를 넣는 것을 잊었다고 말했다. 그 수표가 동봉되었다면, 그들은 그렇게 빨리 답장을 보냈을까?

[어휘] complain about: ~에 대해 불평하다　unfortunately: 유감스럽게도　include: 넣다, 포함하다　check: 수표　enclose: 동봉하다　respond: 답장을 보내다; 답장　be away: 집을 떠나 있다　rarely: 좀처럼 ~하지 않다　immediate: 즉각적인　sum: 액수

A [해석] 1 요청, 요구 등의 승인을 거부하다 – ⓒ 거절하다
2 적절하거나 좋은 시기 또는 때 – ⓐ 기회
3 두려움, 망설임 또는 열의 부족 때문에 행동하기를 주저하거나 기다리다 – ⓔ 주저하다, 망설이다
4 보통의, 일상적인 또는 기존의 것 이상으로 – ⓑ 특별한
5 목표나 결론에 이르다 – ⓓ 성취하다

B ①~③은 흰올빼미의 청력에 관한 내용이지만, ④는 시력에 관한 내용이므로 글의 흐름과 관계가 없다.
[해석] ①흰올빼미의 귀는 외부에서는 보이지 않지만, 놀라운 청력을 가지고 있습니다. ②흰올빼미의 얼굴 털은 소리를 귀로 인도하고, 인간이 들을 수 없는 것을 듣는 능력을 줍니다. ③양쪽 귀의 다른 크기와 위치는 이 올빼미가 소리들 간에 구별하는 데 도움이 됩니다. ④(실제로, 그것은 어둠속에서와 먼 거리에서도 잘 볼 수 있는 능력을 가집니다.)
[어휘] visible: 보이는　incredible: 믿을 수 없는　feather: 털　location: 위치, 장소　distinguish: 구별하다　vision: 시력　at a distance: 멀리서

C 아이들은 부모의 행동을 본보기로 배우기 때문에 가족이 함께 식사할 때 부모가 건강한 식생활의 본보기가 되어야 한다는 내용의 글이다.
[해석] 아이들은 대부분 본보기에 의해 배운다. 그들은 그들의 부모와 그들보다 나이가 많은 형제자매들을 본받아 자신의 행동을 형성한다. 만약 당신의 아이들이 나쁜 식습관을 가진다면, 그것이 애초부터 어떻게 일어났는지 당신 자신에게 질문하라. 만약 당신이 아이들 앞에서 건강치 못한 식사를 하거나, 당신의 건강을 소홀히 하거나 혹은 흡연하고 음주한다면, 당신의 아이들이 똑같은 길을 가게 될 때 놀라지 말아야 한다. 따라서 훌륭한 역할 모델이 되어 집에서 그리고 가족 외식을 할 때 건강한 식생활의 환경을 조성해라.
[어휘] sibling: 형제자매　neglect: (돌보지 않고) 방치하다　eat out: 외식하다

D 1 그러므로(결론, 인과)
2 예를 들어(예시)
3 똑같이, 비슷하게(비교)
4 게다가, 더욱이(첨가)
5 결과적으로(결론, 인과)
6 그럼에도 불구하고(역접, 대조)
7 게다가(첨가)
8 하지만(역접, 대조)

6일 참의·융합·서술·코딩 테스트 2회 52~53쪽

Ⓐ 1 ⓒ　2 ⓐ　3 ⓔ　4 ⓑ　5 ⓓ
Ⓑ ④
Ⓒ Mike
Ⓓ 1 ⓑ　2 ⓒ　3 ⓔ　4 ⓓ　5 ⓑ　6 ⓐ　7 ⓓ
8 ⓐ

1 ③ **2** ③,⑤ **3** ③ **4** 5명 **5** habit **6** ⑤
7 ① **8** ③ **9** ⑤ **10** ② **11** ⑤ **12** ① **13** ①

[1-2] 해석 관계자 귀하,

저는 Boulder 시에서 태어나고 자랐으며 평생 동안 우리의 경치 좋은 자연 공간을 누려왔습니다. 제안된 Pine Hill 산책로가 지나가게 될 그 땅은 다양한 종들의 서식지입니다. 야생 동물은 개발로부터의 압력에 직면해 있고, 이 동물들은 인간 활동으로부터 숨을 수 있는 공간이 필요합니다. 만약 우리가 계속해서 과도한 산책로들로 서식지를 파괴한다면, 야생 동물은 이 지역들을 이용하는 것을 중단할 것입니다. 제안된 산책로가 정말로 필요한지 재고해 주시기 바랍니다.

Tyler Stuart 드림

어휘 concern: 관련되다 scenic: 경치가 좋은 walking trail 산책로 species: 종(생물 분류의 기초 단위) pressure: 압박, 압력 destroy: 파괴하다 habitat: 서식지 excess: 과도한 reconsider: 재고하다 absolutely: 전적으로, 틀림없이

1 야생 동물 보호를 위해 산책로 개발이 정말로 필요한지 재고해 달라는 내용의 편지글이다.

2 Tyler는 야생 동물 보호를 위해 산책로 개발을 반대하고 있으므로 ③, ⑤가 일치하지 않는다.

[3-4] 해석 우리는 기회에 둘러싸여 있지만, 우리는 자주 그것들을 알아보지도 못한다. Richard Wiseman 교수는 이것에 대한 인상적이면서 극단적인 실험을 했다. 그는 한 그룹의 자원자들에게 농구팀이 공을 패스한 횟수를 세어 달라고 부탁했다. 그들이 공을 패스하는 동안, 고릴라 옷을 입은 사람이 그 그룹 사이로 걸어 들어가서, 가슴을 몇 번 두드리고 나서 걸어 나갔다. 상당수의 자원자들은 정확하게 숫자를 셌지만, 20명이 넘는 자원자 중 5명만 그 고릴라를 알아차렸다. 동일한 것이 우리의 직업적 삶에 적용된다. 우리는 점수를 기록하고 그날그날 살아가는 데 너무 집중하느라 우리의 코앞에 있는 무한한 기회들을 알아차리지 못한다.

어휘 surrounded by: ~에 둘러싸여 opportunity: 기회 dramatic: 인상적인 extreme: 극단적인 correctly: 정확하게 notice: ~을 의식하다[알아채다] apply to: ~에 적용하다 manage: 살아 나가다 endless: 무한한 thump: 치다, 두드리다

3 지원자들이 공을 패스하는 횟수를 세는 동안 고릴라 옷을 입은 사람이 지나갔고, 지원자들 중 5명만이 그 고릴라를 알아차렸다는 내용이 되어야 자연스러우므로 주어진 문장은 ③에 들어가는 것이 적절하다.

4 only 5 out of over 20 volunteers noticed the gorilla 에서 5명임을 알 수 있다.

[5-6] 해석 최근 연구들은 습관 형성에 관한 몇몇 흥미로운 결과를 알려준다. 이 연구에서 하나의 긍정적인 습관을 성공적으로 익힌 학생들은 더 적은 스트레스, 더 적은 충동적 소비, 더 나은 식습관, 더 적은 TV 시청 시간, 그리고 심지어 더 적은 설거지를 안 한 접시를 (갖고 있음을) 보고했다. 계속하여 하나의 습관을 충분히 오래 들이려고 노력하라, 그러면 그 습관이 더 쉬워질 뿐만 아니라 다른 일들 또한 더 쉬워진다. 이것이 올바른 습관을 가진 사람들이 다른 사람들보다 더 뛰어나 보이는 이유이다. 그들은 가장 중요한 일을 규칙적으로 하고 있고, 결과적으로 그 밖의 모든 일이 더 쉬워진다.

어휘 recent: 최근의 formation: 형성 acquire: 익히다, 얻다 positive: 긍정적인 impulsive: 충동적인 dietary: 음식물의 work on: ~하려고 노력하다 regularly: 규칙적으로

5 이어지는 내용은 올바른 '습관' 형성의 중요성에 관한 것이다.

6 하나의 긍정적인 습관을 성공적으로 익히면 생활 전반에 걸쳐 긍정적인 효과가 있다는 내용이다.

7 테니스와 서예를 예로 들어 행복의 조건은 살 수 있지만 행복은 살 수 없고, 자신의 노력으로 행복을 길러가야 한다는 내용이다.

해석 당신은 행복의 조건을 살 수 있지만, 행복은 살 수 없다. 그것은 테니스를 치는 것과 같다. 당신은 공과 라켓을 살 수 있지만, 경기를 하는 즐거움을 살 수는 없다. 테니스의 즐거움을 경험하기 위해, 당신은 (테니스를) 치는 법을 배우고, 스스로 연습해야만 한다. 서예 쓰기도 마찬가지이다. 당신은 잉크, 화선지, 붓을 살 수 있지만, 만약 당신이 서예 기술을 함양하지 않는다면, 서예를 진정으로 할 수 없다. 그래서 서예는 연습을 필요로 하고, 당신은 스스로 연습해야만 한다. 당신은 서예를 할 능력이 있을 때 서예가로서 행복하다. 행복도 역시 그러하다. 당신은 행복을 길러가야만 한다; 당신은 그것을 가게에서 살 수 없다.

어휘 condition: 조건 experience: 경험하다 cultivate: 기르다, 함양하다 require: 요구하다 capacity: 능력, 수용력

[8-9] 해석 야구를 위한 훈련과 몸만들기는 체력, 힘, 속도, 신속함, 유연성을 키우는 데 초점을 둔다. ①1980년대 이전에, 근력 운동은 야구 선수를 위한 몸 만들기의 중요한 부분이 아니었다. ②사람들은 야구를 근력보다는 기술과 테크닉의 경기로 보았고, 대부분의 감독과 코치는 근력 운동을 야구 선수가 아닌 보디빌더를 위한 것으로 여겼다. ③(더 분리된 보디빌딩 운동과는 달리, 운동선수용 운동은 가능한 한

많은 근육군과 기능을 동시에 훈련시킨다.) ④그들은 무게를 들어 올리는 것과 큰 근육을 키우는 것이 선수들로 하여금 유연성을 잃도록 유발하고 신속함과 적절한 테크닉을 방해할 것이라고 두려워했다. ⑤그렇지만, 오늘날 전문가들은 근력 운동의 중요성을 이해하고 그것을 경기의 일부로 만들어 오고 있다.

[어휘] flexibility: 유연성 view[see] ~ as ...: ~을 …로 보다 isolated: 분리된, 고립된 athletic: 육상의 at the same time: 동시에 muscle: 근육 interfere with: ~을 방해하다 expert: 전문가

8 야구 선수들의 근력 운동에 대한 내용이므로, 보디빌딩 운동과 운동선수용 운동을 비교하는 내용인 ③은 전체 흐름과 관계가 없다.

9 앞뒤에 상반되는 내용이 나오므로 though(그렇지만)가 가장 적절하다.

10 대부분의 박테리아는 우리에게 유익하지만 몇몇 박테리아는 우리를 병들게 할 수도 있어서 이때 우리는 약을 처방받는데, 이런 약을 '항생 물질'이라고 부른다는 내용이다.

[해석] 우리 주변에는 항상 많은 박테리아가 있다. 하지만 걱정하지 마라! (B) 대부분의 박테리아는 우리에게 유익하다. 어떤 것은 우리의 소화 기관에 살면서 우리가 음식을 소화시키는 것을 도와주고, 어떤 것은 주변에 살면서 우리가 지구에서 숨 쉬고 살 수 있도록 산소를 만들어낸다. (A) 하지만 불행하게도, 몇몇 이런 훌륭한 생명체들이 때로는 우리를 병들게 할 수 있다. 이때가 우리가 감염을 통제할 수 있도록 약을 처방해 줄 수 있는 의사에게 진찰받는 것이 필요한 때이다. (C) 그런데 이런 약은 정확히 무엇이고 어떻게 박테리아와 싸울까? 이런 약은 '항생 물질'이라고 불리며, 이는 '박테리아의 생명에 대항하는 것'을 의미한다.

[어휘] unfortunately: 불행하게도 creature: 생명체 prescribe: 처방하다 infection: 감염 digestive system: 소화기 계통 digest: 소화시키다 antibiotic: 항생 물질

[11-12] [해석] 전 세계의 도시에서 행해진 연구들은 도시의 매력으로서의 생활과 활동의 중요성을 보여 준다. 사람들은 무언가 일이 일어나고 있는 곳에 모이고 다른 사람들의 존재를 찾는다. 텅 빈 거리 혹은 활기찬 거리를 걷기라는 선택에 직면하면, 대부분의 사람들은 생활과 활동으로 가득한 거리를 선택할 것이다. 걷는 그 길이 더 흥미로울 것이고 더 안전하게 느껴질 것이다. 사람들이 공연을 하거나 음악을 연주하는 것을 볼 수 있는 행사는 많은 사람들을 끌어들여 머무르면서 구경하게 한다. 도시 공간의 벤치와 의자에 대한 연구들은 다른 사람들을 볼 수 없는 자리보다 도시의 생활을 가장 잘 볼 수 있는 자리가 훨씬 더 자주 이용된다는 것을 보여 준다.

[어휘] urban: 도시의 attraction: 매력 presence: 존재 perform: 공연하다 attract: 끌어들이다 frequently: 자주

11 생활과 활동으로 가득한 거리를 선택하는 이유는 그 길을 걷는 것이 더 흥미롭고 즐겁기 때문이므로 boring(지루한)은 어울리지 않는다.

12 많은 사람들로 인해 활기차고 흥미로운 도시의 매력에 관한 글이다.

[해석] ① 도시의 가장 큰 매력: 사람들
② 도시를 떠나 시골에 살아라
③ 도시에 더 많은 공원을 만들어라
④ 붐비는 거리에서 외로움을 느끼는 것
⑤ 관광 명소로 가득한 고대 도시들

13 포스터와 가구 선택 실험에서 모두 덜 의식적으로 짧게 본 후 선택한 사람들이 신중하게 고른 사람들보다 더 만족했다는 내용이다.

[해석] Timothy Wilson은 한 실험을 했고, 그 실험에서 그는 학생들에게 다섯 개의 다른 미술 포스터의 선택권을 주었고, 그러고 나서 나중에 그들이 자신의 선택을 여전히 좋아하는지를 알아보기 위해 조사했다. 자신의 선택을 의식적으로 검토하라는 말을 들은 사람들은 몇 주 후 그들의 포스터에 가장 덜 만족스러워했다. 포스터를 짧게 본 후에 선택한 사람들이 가장 만족했다. 또 다른 연구자는 가구 상점에서 서재용 가구를 가지고 실제 상황에서도 그 결과를 그대로 보여 주었다. 덜 의식적으로 검토한 후 서재용 가구를 선택했던 사람들은 매우 주의 깊게 검토한 후 구입했던 사람들보다 더 만족했다.
→ 실험에 따르면, 무엇을 선택할지에 대해 더 (A) 신중하게 생각했던 사람들은 자신들의 선택에 대해 덜 (B) 만족스러워했다.

[어휘] experiment: 실험 survey: 조사하다 consciously: 의식적으로 replicate: 모사[복제]하다 a study set: 서재용 가구 selection: 선택

7일 학교 시험 기본 테스트 2회 58~61쪽

1 ②	2 ①	3 ④	4 ②	5 ④	6 ③	7 ②
8 ⑤	9 ②	10 ④	11 ②	12 ①		

[1-2] [해석] 친애하는 Denning 씨께,
Redstone 음악 예술 센터의 이사회 위원으로서 역할을 하게 된 것은 저에게 큰 만족을 주며, 이사회가 저를 부회장으로 추천하는 것이 적

절하다고 해 주셔서 영광입니다. 그러나, 저의 업무 일정이 매우 예측 불가능해져서 저는 그 추천을 거절해야만 합니다. 저는 음악 예술 센터가 부회장으로부터 받아야 할 시간과 에너지를 제가 줄 수 있다고 전혀 생각하지 않습니다. 당분간 그럼 저는 이사회 일반 위원으로서 계속 역할을 수행할 것을 기대합니다.

Jason Becker 올림

어휘 satisfaction: 만족 recommend: 추천하다 vice president: 부회장 unpredictable: 예측 불가능한 decline: 거절하다 recommendation: 추천 deserve: ~을 받을 만하다

1 앞뒤에 상반되는 내용이 나오므로 역접/대조의 의미를 나타내는 연결어 However가 적절하다.

2 부회장으로 추천받은 것은 영광이지만 업무 일정 때문에 추천을 거절한다는 내용의 편지글이다.

3 글의 마지막 부분에 있는 알람시계의 스누즈 버튼과 같이 더 나은 선택이 있을 것 같은 생각에 결정을 미루게 되면 결국 대가를 치르게 된다는 내용이다.

해석 FOBO 혹은 더 나은 선택에 대한 두려움은 더 나은 어떤 것이 생길 것이라는 불안감인데, 이것은 결정을 내릴 때 기존의 선택지에 전념하는 것을 탐탁지 않게 한다. 그것은 여러분이 모든 선택지를 열어 두고 위험을 피하도록 만드는 풍족함의 고통이다. 여러분의 선택지들을 평가하고, 하나를 선택하고, 여러분의 하루를 살아가기보다는, 여러분은 꼭 해야 할 것을 미룬다. 그것은 알람시계의 스누즈 버튼을 누르고 결국 이불을 머리 위로 뒤집어 쓰고 다시 잠들어 버리는 것과 다르지 않다. 스누즈 버튼을 누르는 것이 그때는 기분이 아주 좋겠지만, 그것은 결국 대가를 요구한다.

어휘 option: 선택(권) anxiety: 불안감 undesirable: 탐탁지 않은 commit: 전념하다 abundance: 풍부 assess: 평가하다 inevitable: 필연적인 것 ultimately: 결국, 궁극적으로

[4-5] 해석 몇 년 전 Washington D.C.에서 있었던 전국 단어 철자 맞히기 대회에서, 한 13세 소년이 들은 것은 무엇이든 반복하는 경향을 의미하는 단어인 'echolalia'의 철자를 말하도록 요구받았다. 그는 철자를 잘못 말했지만, 심판은 잘못 듣고 철자를 맞혔다고 말했고, 그가 (다음 단계로) 진출하도록 허락했다. 그 소년은 자신이 단어 철자를 잘못 말했다는 것을 알았을 때, 심판에게 가서 말했다. 그래서 그는 결국 대회에서 탈락했다. 다음 날 신문기사 헤드라인은 그 정직한 소년을 "단어 철자 맞히기 대회 영웅"으로 알렸다. "심판은 제가 아주 정직하다고 말했어요."라고 그 소년은 기자들에게 말했다. 그는 그렇게 했던 이유 중 하나를 덧붙여 말했다. "저는 거짓말쟁이가 되고 싶지 않았어요."

어휘 tendency: 경향, 성향 misspell: ~의 철자를 잘못 말하다

judge: 심판, 심사위원 advance: 진출하다 eliminate: (예선 등에서) 실격시키다 competition: 대회, 경쟁

4 주어진 문장은 대회 탈락의 원인에 관한 내용이고, ② 다음 문장은 그에 대한 결과의 내용이므로 주어진 문장은 ②에 들어가는 것이 적절하다.

5 ④ 소년은 철자를 잘못 말했다고 솔직하게 말해서 대회에서 탈락했다.

6 마지막 문장 '기술 사용이 능숙한 요즘 세상에서도, 대화 중에 전화를 받는 것은 무례한 일이다.'에 필자의 주장이 잘 드러나 있다.

해석 집중을 방해하는 것들이 화자의 말을 여러분이 주의 깊게 듣는 것을 방해하게 두지 마라. 여러분은 화자가 하고 있는 말이 여러분에게 중요하다는 메시지를 전달하기를 원한다. 여러분이 휴대전화를 받고 화자를 기다리게 한다면 그 메시지는 공허하게 들릴 것이다. 대화 중에 여러분의 휴대전화가 울린다면, 전화를 받고 싶은 충동을 물리쳐라. 여러분의 휴대전화가 울리고 있다는 사실이 여러분이 전화를 받아야 한다는 것을 의미하지는 않는다. 긴급한 전화는 거의 없다. 메시지가 남겨져 있지 않다면, 그것은 분명히 그러한 경우이다. 그리고 메시지가 남겨져 있다면, 일단 여러분의 대화가 끝나고 보통 몇 분 내에 그것을 들을 수 있다. 기술 사용이 능숙한 요즘 세상에서도 대화 중에 전화를 받는 것은 무례한 일이다.

어휘 distraction: 집중을 방해하는 것 interrupt: 방해하다 attentive: 주의 깊은 hollow: 공허하게 들리다 urge: 충동 urgent: 긴급한 disrespectful: 무례한

[7-8] 해석 파티에 있는 자신을 상상해 보라. 어두운데 한 무리의 친구들이 사진을 찍어 달라고 요청한다. 카메라를 잡고 친구들을 향해 촬영을 한다. (B) 정확한 노출을 만들어 내기 위해 사용할 수 있는 빛이 충분하지 않기 때문에 카메라는 자동으로 플래시를 켠다. 그 결과 친구 중 절반은 눈 대신 두 개의 밝은 빨간색 원과 함께 사진에 나온다. (A) 이것은 '적목(赤目) 현상'이라고 불리는 흔한 문제이다. 그것은 플래시에서 나오는 빛이 동공을 통해 눈을 통과한 뒤, 다량의 피가 있는 눈 뒤쪽으로부터 카메라로 반사되기 때문에 발생한다. (C) 이 피가 사진에서 눈이 빨갛게 보이는 이유이다. 이 현상은 주위에 빛이 많지 않을 때 더욱 두드러진다.

어휘 grab: 붙잡다 common: 흔한 reflect: 반사하다 automatically: 자동적으로 available: 사용할 수 있는 exposure: 노출 noticeable: 뚜렷한

7 어두운 곳에서 사진을 찍을 때 플래시가 켜지고 눈이 빨갛게 나오는 적목 현상이 일어나는데, 그 적목 현상의 원인에 대해 설명하는 내용이다.

8 적목 현상(red-eye effect)에 관한 내용이고, 피가 원인이라고 했으므로 사진에서 눈은 빨간색으로 보이는 것을 알 수 있다.

9 새 이웃에게 도움을 요청하는 것은 좋은 관계를 시작할 수 있는 계기가 된다는 내용이다.

[해석] Benjamin Franklin은 한때 동네에 새로 온 사람은 새 이웃에게 도움을 요청해야 한다고 제안했다. Franklin의 의견으로는, 누군가에게 무언가를 요구하는 것은 사회적 상호작용에 대한 가장 유용하고 즉각적인 초대였다. 새로 온 사람 쪽에서의 그러한 요청은 첫 만남에서 자신을 좋은 사람으로 보여 줄 수 있는 기회를 이웃에게 제공했던 것이다. 또한 그것은 이제 반대로 후자(이웃)가 전자(새로 온 사람)에게 부탁할 수 있으며, 이는 친밀함과 신뢰를 증진시킨다는 것을 의미했다. 그러한 방식으로 양쪽은 당연한 머뭇거림과 낯선 사람에 대한 상호 두려움을 극복할 수 있을 것이다.
① 자신의 장점을 다른 사람에게 보여 주는 방법
② 관계의 개시: 부탁하기
③ 왜 우리는 낯선 사람들을 돕는 것을 주저하는가?
④ 당신이 요구하는 것은 당신이 누구인지 보여 준다
⑤ 우리의 이웃을 공손히 초대하는 방법

[어휘] newcomer: 신입자, 신참자　immediate: 즉각적인 invitation: 초대　interaction: 상호작용　encounter: 만남 latter: 후자　former: 전자　familiarity: 친근함　overcome: 극복하다　hesitancy: 머뭇거림　mutual: 상호간의

[10-11] [해석] 요즘 차량 공유 운동이 전 세계적으로 나타났다. 많은 도시에서 차량 공유는 도시 주민들이 이동하는 방법에 대해 강한 영향을 끼쳤다. ①북미처럼 차량 소유 문화가 강한 곳에서조차도 차량 공유가 인기를 얻었다. ②미국과 캐나다에서는 많은 도시 지역에서 이제 차량 공유 회원 수가 성인 5명 중 1명을 넘어섰다. ③공유된 각 1대의 차량이 약 10대의 개인 차량을 대체함에 따라, 교통 체증과 대기 오염에 미치는 강한 영향을 토론토부터 뉴욕까지에서 느낄 수 있다. ④(무인 자동차의 가장 좋은 점은 사람들이 그것을 조작하는 데 면허가 필요 없을 것이라는 점이다.) ⑤교통 체증과 주차장 부족에 고심하는 도심 지역을 가진 시 정부는 차량 공유의 늘어나는 인기를 견인하고 있다.

[어휘] impact: 영향　resident: 주민, 거주인　car-ownership: 차량 소유　gain: 얻다　exceed: 넘다, 초과하다　influence: 영향 pollution: 대기 오염　replace: 대체하다　operate: (기계를) 조작하다　struggle with: ~에 고심하다

10 차량 공유에 대한 내용으로, 무인 자동차에 관한 내용인 ④는 전체 흐름과 관계가 없다.

11 ② 북미처럼 차량 소유 문화가 강한 곳에서도 차량 공유가 인

기를 얻었다고 했다.

12 교실 안의 소음이 학생들의 학업 성취에 부정적인 영향을 미친다는 내용이다.

[해석] 교실 안의 소음은 의사소통 패턴과 주의를 기울이는 능력에 부정적인 영향을 미친다. 그러므로 지속적으로 소음에 노출되는 것이 특히 읽기와 읽기 학습에 미치는 소음의 부정적인 영향 면에서 아이들의 학업 성취와 관계가 있다는 것은 놀랍지 않다. 몇몇 연구자들은 유치원 교실이 소음 수준을 낮추도록 바뀌었을 때, 아이들이 서로에게 더 자주 말을 걸고 더 완전한 문장으로 말했으며 아이들의 읽기 전 시험 성적이 향상되었다는 사실을 발견했다. 나이가 더 많은 아이들을 대상으로 한 연구는 비슷한 결과를 보여 준다.
① 소음이 학업 성취에 미치는 영향
② 교실 디자인의 새로운 경향
③ 시끄러운 교실을 통제하는 방법
④ 다양한 종류의 읽기 활동
⑤ 쓰기 실력을 향상시키는 데 있어서의 읽기의 역할

[어휘] negative: 부정적인　effect: 영향　pay attention: 주의를 기울이다　academic achievement: 학업 성취(도)　particularly: 특히　performance: 성적

Word Puzzle 62쪽

7일 끝!

어휘 모아 보기

Book 1

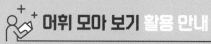 **어휘 모아 보기 활용 안내**

◈ 7일간 학습한 **일별 어휘** 한꺼번에 확인하기!

◈ 어휘 테스트를 통해 **한 번 더** 체크하기!

1일

☐ accomplish 성취하다

☐ achieve 달성하다, 성취하다

☐ admit 인정하다

☐ attractive 매력적인

☐ burden 부담, 짐

☐ command 명령(어)

☐ complicated 복잡한

☐ concern 관심, 염려

☐ consider 여기다, 생각하다

☐ correct 수정하다

☐ determine 결정하다

☐ document 문서, 서류

☐ ensure 보장하다

☐ ignorant 무지한

☐ improvement 개선

☐ internal 내적인

☐ navigate 항해하다

☐ neutral 중립적인

☐ obvious 명백한

☐ pressure 압박, 압력

☐ progress 발전

☐ protest 이의를 제기하다

☐ reflection 반영

☐ reject 거절하다

☐ require 요구하다

☐ worthy 가치 있는

2일

☐ assistant 조수

☐ compassion 연민

☐ compete 경쟁하다

☐ comprehension 이해

☐ cooperate 협력하다

☐ critical 중요한

☐ development 발달, 성장

☐ eliminate 없애다, 제거하다

☐ estimate 추산하다

☐ evidence 증거

☐ function 기능

☐ genuine 진짜의

☐ individual 개개의, 각각의

☐ infancy 유아기

☐ intensity 강도, 강함

☐ multiple 여러 번의

☐ opportunity 기회

☐ physical 신체의, 육체의

☐ polish 다듬다, 닦다

☐ primary 기본적인, 주된

☐ promote 촉진하다

☐ purpose 목적

☐ recall 기억해 내다

☐ response 반응, 응답

☐ sacrifice 희생

☐ treatment 치료, 처치

3일

☐ assistance 도움

☐ conduct 하다, 행동하다

☐ construction 공사

☐ disability 장애

☐ donate 기부하다

☐ faulty 고장 난, 결함이 있는

☐ funeral 장례식

☐ grab 쥐다

☐ hesitate 주저하다

☐ instrument 도구, 악기

☐ interpret 해석하다, 이해하다

☐ participant 참가자

☐ perform 행하다

☐ permission 허가, 허락

☐ present 있는, 존재하는

☐ procedure 절차

☐ quality 질

☐ receipt 영수증

☐ relationship 관계

☐ report 말하다, 전하다

☐ resemblance 유사(성)

☐ seek 추구하다, 찾다

☐ successfully 성공적으로

☐ associate ~ with ... ~를 …와 연관시키다

☐ on behalf of ~를 대표해서

☐ opposed to ~에 반대하는

4일

☐ adopt 채택하다

☐ assume 가정하다

☐ audience 청중

☐ commit 헌신하다, 전념하다

☐ compel 강요하다

☐ connection 관계

☐ considerable 상당한, 많은

☐ constant 끊임없는, 지속적인

☐ consumption 소비

☐ contribution 기부금

☐ cooperation 협조, 협력

☐ desire 욕구

☐ diversity 다양성

☐ expend (시간·에너지를) 쏟다, 들이다

☐ exposure 노출, 매스컴 출연

☐ extraordinary 특별한

어휘 목록

- [ ] indicate 보여 주다, 나타내다
- [ ] inevitable 불가피한
- [ ] nonverbal 비언어적인
- [ ] outcome 결과
- [ ] policy 정책, 방침
- [ ] precisely 정확히, 바로
- [ ] reflect 나타내다, 반영하다
- [ ] stable 안정된
- [ ] urge 충동, 욕구
- [ ] prevent ~ from ... ~가 …을 하지 못하도록 막다

5일

- [ ] ancient 고대의
- [ ] appropriate 적절한
- [ ] astronaut 우주 비행사
- [ ] attention 집중, 주목

- [ ] brief 짧은
- [ ] clue 단서
- [ ] composition 구성 성분
- [ ] consistent 일관된, 한결같은
- [ ] correct 적절한, 올바른
- [ ] disclose 드러내다, 노출시키다
- [ ] emphasize 강조하다
- [ ] environment 환경
- [ ] exploration 탐험
- [ ] guilt 죄책감
- [ ] hollow 속이 빈
- [ ] muscle 근육
- [ ] obstacle 장애물
- [ ] planet 행성
- [ ] properly 적절히
- [ ] purchase 구입하다, 구매하다
- [ ] rubber 고무
- [ ] stiff 딱딱한
- [ ] supply 물자; 공급

- [ ] survival 생존
- [ ] tendency 경향, 성향
- [ ] unfavorable 불리한, 형편이 나쁜

6일

- [ ] advancement 발전, 진보
- [ ] arguably 주장하건데
- [ ] check 수표
- [ ] crucial 중요한
- [ ] department 부(서), 과
- [ ] distinguish 구별하다
- [ ] employee 사원, 직원
- [ ] enclose 동봉하다
- [ ] evolutionary 진화적인
- [ ] feather 털
- [ ] gain 얻다
- [ ] immediate 즉각적인

- [ ] incredible 믿을 수 없는
- [ ] location 위치, 장소
- [ ] neglect (돌보지 않고) 방치하다
- [ ] precede 선행하다
- [ ] protein 단백질
- [ ] pursue 추구하다
- [ ] refuse 거부하다
- [ ] resent 분개하다
- [ ] sibling 형제자매
- [ ] spectator 관중
- [ ] suppress 억누르다, 참다
- [ ] unfortunately 유감스럽게도
- [ ] visible 보이는
- [ ] vision 시력

7일

- [ ] absolutely 전적으로, 틀림없이
- [ ] abundance 풍부
- [ ] acquire 익히다, 얻다
- [ ] assess 평가하다
- [ ] attentive 주의 깊은
- [ ] commit 전념하다
- [ ] confidence 자신감
- [ ] cultivate 기르다, 함양하다
- [ ] decline 거절하다
- [ ] habitat 서식지
- [ ] exceed 넘다, 초과하다
- [ ] extreme 극단적인
- [ ] frequently 자주
- [ ] impulsive 충동적인
- [ ] inevitable 필연적인 것
- [ ] infection 감염
- [ ] influence 영향

- [ ] interrupt 방해하다
- [ ] isolated 분리된, 고립된
- [ ] mutual 상호간의
- [ ] prescribe 처방하다
- [ ] pressure 압박, 압력
- [ ] recommend 추천하다
- [ ] strategy 전략
- [ ] tendency 경향, 성향
- [ ] ultimately 결국, 궁극적으로

1일 영어는 우리말로, 우리말은 영어로 쓰세요.

01	pressure		21	요구하다	
02	achieve		22	인정하다	
03	reject		23	결정하다	
04	attractive		24	거절하다	
05	improvement		25	관심, 염려	
06	complicated		26	압박, 압력	
07	worthy		27	수정하다	
08	correct		28	부담, 짐	
09	determine		29	이의를 제기하다	
10	document		30	무지한	
11	ignorant		31	개선	
12	command		32	항해하다	
13	internal		33	명백한	
14	neutral		34	여기다, 생각하다	
15	obvious		35	발전	
16	accomplish		36	보장하다	
17	protest		37	반영	
18	admit		38	복잡한	
19	require		39	가치 있는	
20	consider		40	문서, 서류	

2일 영어는 우리말로, 우리말은 영어로 쓰세요.

01	purpose	_____	21	없애다, 제거하다	_____

01 purpose ＿＿＿＿＿＿＿

02 individual ＿＿＿＿＿＿＿

03 compete ＿＿＿＿＿＿＿

04 sacrifice ＿＿＿＿＿＿＿

05 cooperate ＿＿＿＿＿＿＿

06 primary ＿＿＿＿＿＿＿

07 development ＿＿＿＿＿＿＿

08 eliminate ＿＿＿＿＿＿＿

09 opportunity ＿＿＿＿＿＿＿

10 evidence ＿＿＿＿＿＿＿

11 genuine ＿＿＿＿＿＿＿

12 infancy ＿＿＿＿＿＿＿

13 multiple ＿＿＿＿＿＿＿

14 recall ＿＿＿＿＿＿＿

15 estimate ＿＿＿＿＿＿＿

16 polish ＿＿＿＿＿＿＿

17 critical ＿＿＿＿＿＿＿

18 promote ＿＿＿＿＿＿＿

19 comprehension ＿＿＿＿＿＿＿

20 treatment ＿＿＿＿＿＿＿

21 없애다, 제거하다 ＿＿＿＿＿＿＿

22 유아기 ＿＿＿＿＿＿＿

23 기회 ＿＿＿＿＿＿＿

24 연민 ＿＿＿＿＿＿＿

25 치료, 처치 ＿＿＿＿＿＿＿

26 이해 ＿＿＿＿＿＿＿

27 촉진하다 ＿＿＿＿＿＿＿

28 발달, 성장 ＿＿＿＿＿＿＿

29 반응, 응답 ＿＿＿＿＿＿＿

30 기능 ＿＿＿＿＿＿＿

31 강도, 강함 ＿＿＿＿＿＿＿

32 조수 ＿＿＿＿＿＿＿

33 신체의, 육체의 ＿＿＿＿＿＿＿

34 협력하다 ＿＿＿＿＿＿＿

35 목적 ＿＿＿＿＿＿＿

36 추산하다 ＿＿＿＿＿＿＿

37 희생 ＿＿＿＿＿＿＿

38 경쟁하다 ＿＿＿＿＿＿＿

39 개개의, 각각의 ＿＿＿＿＿＿＿

40 증거 ＿＿＿＿＿＿＿

3일 영어는 우리말로, 우리말은 영어로 쓰세요.

01	hesitate		21	도움	
02	conduct		22	있는, 존재하는	
03	resemblance		23	공사	
04	permission		24	영수증	
05	donate		25	고장 난, 결함이 있는	
06	faulty		26	절차	
07	assistance		27	쥐다	
08	interpret		28	주저하다	
09	participant		29	관계	
10	disability		30	도구, 악기	
11	procedure		31	행하다	
12	quality		32	참가자	
13	receipt		33	장례식	
14	successfully		34	하다, 행동하다	
15	report		35	허가, 허락	
16	construction		36	기부하다	
17	seek		37	해석하다, 이해하다	
18	relationship		38	유사(성)	
19	opposed to		39	성공적으로	
20	associate ~ with ...		40	~를 대표해서	

4일 영어는 우리말로, 우리말은 영어로 쓰세요.

01	consumption		21	다양성
02	assume		22	정책, 방침
03	compel		23	불가피한
04	precisely		24	특별한
05	considerable		25	협조, 협력
06	stable		26	청중
07	adopt		27	헌신하다, 전념하다
08	contribution		28	노출, 매스컴 출연
09	outcome		29	나타내다, 반영하다
10	diversity		30	끊임없는, 지속적인
11	extraordinary		31	소비
12	indicate		32	욕구
13	nonverbal		33	가정하다
14	inevitable		34	(시간·에너지를)쏟다, 들이다
15	cooperation		35	강요하다
16	policy		36	보여 주다, 나타내다
17	connection		37	정확히, 바로
18	reflect		38	상당한, 많은
19	constant		39	안정된
20	prevent ~ from ...		40	충동, 욕구

5일 영어는 우리말로, 우리말은 영어로 쓰세요.

01 disclose _____

02 environment _____

03 appropriate _____

04 supply _____

05 clue _____

06 properly _____

07 correct _____

08 ancient _____

09 tendency _____

10 exploration _____

11 planet _____

12 rubber _____

13 hollow _____

14 stiff _____

15 obstacle _____

16 consistent _____

17 guilt _____

18 astronaut _____

19 survival _____

20 emphasize _____

21 장애물 _____

22 행성 _____

23 속이 빈 _____

24 일관된, 한결같은 _____

25 탐험 _____

26 생존 _____

27 집중, 주목 _____

28 죄책감 _____

29 구성 성분 _____

30 불리한, 형편이 나쁜 _____

31 우주 비행사 _____

32 환경 _____

33 짧은 _____

34 강조하다 _____

35 근육 _____

36 구입[구매]하다 _____

37 물자; 공급 _____

38 고대의 _____

39 경향, 성향 _____

40 고무 _____

6일 영어는 우리말로, 우리말은 영어로 쓰세요.

01	pursue		21	즉각적인	
02	arguably		22	발전, 진보	
03	gain		23	수표	
04	resent		24	거부하다	
05	distinguish		25	부(서), 과	
06	visible		26	유감스럽게도	
07	enclose		27	사원, 직원	
08	spectator		28	믿을 수 없는	
09	feather		29	위치, 장소	
10	immediate		30	억누르다, 참다	
11	protein		31	구별하다	
12	location		32	선행하다	
13	unfortunately		33	추구하다	
14	incredible		34	얻다	
15	advancement		35	형제자매	
16	refuse		36	(돌보지 않고) 방치하다	
17	crucial		37	보이는	
18	evolutionary		38	시력	
19	suppress		39	털	
20	employee		40	동봉하다	

7일 영어는 우리말로, 우리말은 영어로 쓰세요.

01 interrupt _____

02 infection _____

03 assess _____

04 attentive _____

05 strategy _____

06 confidence _____

07 influence _____

08 decline _____

09 habitat _____

10 ultimately _____

11 extreme _____

12 frequently _____

13 impulsive _____

14 absolutely _____

15 pressure _____

16 isolated _____

17 mutual _____

18 prescribe _____

19 commit _____

20 exceed _____

21 서식지 _____

22 풍부 _____

23 극단적인 _____

24 처방하다 _____

25 전념하다 _____

26 충동적인 _____

27 압박, 압력 _____

28 기르다, 함양하다 _____

29 넘다, 초과하다 _____

30 익히다, 얻다 _____

31 자신감 _____

32 필연적인 것 _____

33 감염 _____

34 전략 _____

35 방해하다 _____

36 평가하다 _____

37 추천하다 _____

38 영향 _____

39 경향, 성향 _____

40 거절하다 _____

1일

01 압박, 압력　02 달성하다, 성취하다　03 거절하다
04 매력적인　05 개선　06 복잡한　07 가치 있는
08 수정하다　09 결정하다　10 문서, 서류　11 무지한
12 명령(어)　13 내적인　14 중립적인　15 명백한
16 성취하다　17 이의를 제기하다　18 인정하다
19 요구하다　20 여기다, 생각하다　21 require
22 admit　23 determine　24 reject　25 concern
26 pressure　27 correct　28 burden　29 protest
30 ignorant　31 improvement　32 navigate
33 obvious　34 consider　35 progress　36 ensure
37 reflection　38 complicated　39 worthy
40 document

2일

01 목적　02 개개의, 각각의　03 경쟁하다　04 희생
05 협력하다　06 기본적인, 주된　07 발달, 성장
08 없애다, 제거하다　09 기회　10 증거　11 진짜의
12 유아기　13 여러 번의　14 기억해 내다　15 추산하다
16 다듬다, 닦다　17 중요한　18 촉진하다　19 이해
20 치료, 처치　21 eliminate　22 infancy
23 opportunity　24 compassion　25 treatment
26 comprehension　27 promote　28 development
29 response　30 function　31 intensity
32 assistant　33 physical　34 cooperate
35 purpose　36 estimate　37 sacrifice
38 compete　39 individual　40 evidence

3일

01 주저하다　02 하다, 행동하다　03 유사(성)　04 허가,
허락　5 기부하다　6 고장 난, 결함이 있는　7 도움
08 해석하다, 이해하다　09 참가자　10 장애
11 절차　12 질　13 영수증　14 성공적으로
15 말하다, 전하다　16 공사　17 추구하다, 찾다
18 관계　19 ~에 반대하는　20 ~를 …와 연관시키다
21 assistance　22 present　23 construction
24 receipt　25 faulty　26 procedure　27 grab
28 hesitate　29 relationship　30 instrument
31 perform　32 participant　33 funeral
34 conduct　35 permission　36 donate
37 interpret　38 resemblance　39 successfully
40 on behalf of

4일

01 소비　02 가정하다　03 강요하다　04 정확히, 바로
05 상당한, 많은　06 안정된　07 채택하다　08 기부금
09 결과　10 다양성　11 특별한　12 보여 주다, 나타
내다　13 비언어적인　14 불가피한　15 협조, 협력
16 정책, 방침　17 관계　18 나타내다, 반영하다
19 끊임없는, 지속적인　20 ~가 …을 하지 못하도록 막다
21 diversity　22 policy　23 inevitable
24 extraordinary　25 cooperation　26 audience
27 commit　28 exposure　29 reflect
30 constant　31 consumption　32 desire
33 assume　34 expend　35 compel
36 indicate　37 precisely　38 considerable
39 stable　40 urge

5일

01 드러내다, 노출시키다　02 환경　03 적절한

04 물자; 공급　05 단서　06 적절히　07 적절한, 올바른

08 고대의　09 경향, 성향　10 탐험　11 행성

12 고무　13 속이 빈　14 딱딱한　15 장애물

16 일관된, 한결같은　17 죄책감　18 우주 비행사

19 생존　20 강조하다　21 obstacle　22 planet

23 hollow　24 consistent　25 exploration

26 survival　27 attention　28 guilt

29 composition　30 unfavorable　31 astronaut

32 environment　33 brief　34 emphasize

35 muscle　36 purchase　37 supply　38 ancient

39 tendency　40 rubber

6일

01 추구하다　02 주장하건데　03 얻다　04 분개하다

05 구별하다　06 보이는　07 동봉하다　08 관중

09 털　10 즉각적인　11 단백질　12 위치, 장소

13 유감스럽게도　14 믿을 수 없는　15 발전, 진보

16 거부하다　17 중요한　18 진화적인

19 억누르다, 참다　20 사원, 직원　21 immediate

22 advancement　23 check　24 refuse

25 department　26 unfortunately　27 employee

28 incredible　29 location　30 suppress

31 distinguish　32 precede　33 pursue

34 gain　35 sibling　36 neglect　37 visible

38 vision　39 feather　40 enclose

7일

01 방해하다　02 감염　03 평가하다　04 주의 깊은

05 전략　06 자신감　07 영향　08 거절하다

09 서식지　10 결국, 궁극적으로　11 극단적인　12 자주

13 충동적인　14 전적으로, 틀림없이　15 압박, 압력

16 분리된, 고립된　17 상호간의　18 처방하다

19 전념하다　20 넘다, 초과하다　21 habitat

22 abundance　23 extreme　24 prescribe

25 commit　26 impulsive　27 pressure

28 cultivate　29 exceed　30 acquire

31 confidence　32 inevitable　33 infection

34 strategy　35 interrupt　36 assess

37 recommend　38 influence　39 tendency

40 decline

Memo

Memo

1일 유형 핵심 정리 ❶   8쪽

예제 상대방이 사과를 받아들일 때까지 기다리는 것은 '인내'가 필요한 일이다.

해석 인내가 항상 가장 중요하다는 것을 기억해라. 사과가 받아들여지지 않으면, 그 사람이 여러분의 말을 끝까지 들어주었다는 것에 감사하고, 그 사람이 화해하고 싶을 경우와 시기를 위해 문(가능성)을 열어 두어라. 여러분의 사과를 받아들인다고 해서 그 사람이 여러분을 온전히 용서했다는 뜻이 아니라는 사실을 알고 있어라. 상처받은 당사자가 완전히 떨쳐 버리고 여러분을 온전히 다시 믿기까지 시간이 걸릴 수 있고, 어쩌면 오래 걸릴 수 있다. 이 과정이 빨라지게 하기 위해 여러분이 할 수 있는 것은 거의 없다. 그 사람이 여러분에게 진정으로 중요하다면, 그 사람에게 치유되는 데 필요한 시간과 공간을 주는 것이 가치 있다.
① 호기심 ② 자립 ③ 인내 ④ 창의성 ⑤ 정직

1일 유형 확인 문제   9쪽

1 ②   **2** ⑤

[1-2] 해석 이동하려는 욕구보다 인간의 정신에 더 근본적인 것은 없다. 그것은 우리의 상상력을 자극하고 삶을 변화시킬 기회로 가는 길을 열어주는 직관적인 힘이다. 그것은 진보와 개인의 자유의 촉매이다. 대중 교통은 2세기 넘게 그 진보와 자유에 없어서는 안 될 것이었다. 운송 산업은 항상 한 목적지에서 다른 목적지로 이동하는 사람들을 실어 나르는 것 이상의 일을 해 왔다. 그것은 사람들이 필요로 하는 것, 좋아하는 것, 그리고 되고자 열망하는 것에 대한 접근성을 제공해 준다. 그렇게 하면서 그것은 공동체를 성장시키고, 일자리를 창출하고, 경제를 강화하고, 사회와 상업 네트워크를 확장하고, 시간과 에너지를 절약해 주며, 수백만 명의 사람들이 더 나은 삶을 누릴 수 있도록 돕는다.

1 대중교통과 운송 산업의 역할과 중요성에 대한 내용이 이어지므로, 인간의 정신에서 '이동하려는' 욕구에 대한 내용임을 알 수 있다.
해석 ① 안전한 ② 이동하는 ③ 예외적인 ④ 경쟁하는 ⑤ 독립적인

2 ⑤ 수백만 명의 사람들이 더 나은 삶을 누릴 수 있도록 돕는다고 했다.

1일 유형 핵심 정리 ❷   10쪽

예제 기분이 안 좋을 때 기분을 더 좋게 만들기 위해 음식을 먹는 것은 음식이 감정을 통제하는 좋은 방법이 된다는 의미이다.

해석 아이가 화를 낼 때, 아이를 진정시키는 가장 쉽고 가장 빠른 방법은 음식을 주는 것이다. 이것은 아이가 가지고 있는 감정으로부터 주의를 돌리는 것으로 작용하고, 손과 입으로 할 수 있는 무언가를 아이에게 제공하며, 화나게 하고 있는 것이 무엇이든 그것으로부터 아이의 주의를 옮겨 가게 한다. 또한 선택된 음식이 사탕이나 비스킷 같은 특별한 먹거리로 여겨지면, 그 아이는 '특별한 대접을 받았다고' 느끼고 기분이 더 좋을 것이다. 이처럼 음식을 이용하는 것은 단기적으로는 효과적이다. 하지만 음식이 감정을 통제하는 좋은 방법이라는 것을 우리가 곧 알게 되기 때문에 그것은 장기적으로는 해로울 수 있다. 그리고 우리가 삶을 살아가면서, 짜증이 나거나, 불안하거나, 심지어 그저 지루함을 느낄 때마다, 우리 자신의 기분을 더 좋게 만들기 위해 우리는 음식에 의존한다.
① 친구를 만들다
② 예의를 배우다
③ 기억력을 개선하다
④ 감정을 통제하다
⑤ 업적을 기리다

1일 유형 확인 문제   11쪽

3 ③   **4** ③

[3-4] 해석 네덜란드의 자전거 문화에서 뒷좌석에 동승자를 앉히는 것은 흔하다. 자전거 운전자의 움직임을 따르기 위해서 뒷좌석에 앉은 사람은 꽉 잡을 필요가 있다. 자전거는 핸들을 조종하는 것뿐만 아니라 (몸을) 기울임으로써 방향을 바꾸기 때문에 동승자는 자전거 운전자와 같은 방향으로 (몸을) 기울일 필요가 있다. 뒷좌석에서 계속해서 똑바로 앉아 있는 동승자는 말 그대로 뒷좌석의 골칫거리가 될 것이다. 오토바이를 탈 때는, 이것이 훨씬 더 중요하다. 오토바이의 더 높은 속도는 방향을 바꿀 때 더 많이 (몸을) 기울일 것을 요구하고, 협응의 부족은 재앙이 될 수 있다. 동승자는 운전자의 모든 움직임을 따라 하도록 기대되기 때문에 주행 시 진정한 동반자이다.

3 자전거나 오토바이의 뒷좌석에 앉은 동승자는 방향을 바꿀 때 운전자의 움직임을 따라 같이 몸을 기울여야 한다는 내용이다.
해석 ① 다른 사람들에게 위험을 경고하다
② 운전자가 과속하는 것을 막다
③ 운전자의 모든 움직임을 따라하다

④ 운전자의 정서적 불안감을 해소하다

⑤ 도로 상황을 주의 깊게 살피다

4 ③ 자전거는 방향을 바꿀 때 핸들을 조종하는 것뿐만 아니라 몸도 같이 기울인다고 했지만, 몸을 기울이는 것이 더 중요하다는 내용은 언급되지 않았다.

1일 적중 예상 베스트
12~13쪽

1 ①　　**2** ①　　**3** ②　　**4** ⑤

1 불행한 사람들은 부정적인 생각을 하고, 행복한 사람들은 긍정적인 생각을 한다는 내용이므로 생각, 즉 '머릿속 그림'이 중요하다는 내용이다.

[해석] 당신 삶에서의 모든 향상은 당신의 머릿속 그림에서의 향상으로 시작된다. 만약 당신이 불행한 사람들과 이야기하면서 그들에게 대부분의 시간에 무슨 생각을 하는지 물어본다면, 그들이 자신의 문제, 고지서, 부정적인 관계, 그리고 그들의 삶에서의 모든 어려움에 대해 생각한다는 것을 거의 틀림없이 발견할 것이다. 그러나 당신이 성공적이고 행복한 사람들과 이야기할 때는, 그들이 대부분의 시간동안 그들이 되고 싶고, 하고 싶고, 가지고 싶은 것들에 대해 생각하고 이야기한다는 것을 알게 된다. 그들은 그것들을 얻기 위해서 취할 수 있는 구체적인 행동 단계에 대해 생각하고 이야기한다.

① 머릿속 그림 ② 육체적 능력 ③ 협조적인 태도 ④ 학습 환경

⑤ 학업 성취도

2 첫 번째 사과를 만지면서 "영"이라고 세기 시작했을 때, 결국 전체 사과의 수가 하나 더 적게 되므로 숫자를 "0"부터 세기 시작하는 것은 문제가 있다는 내용이다.

[해석] 0부터 숫자를 세는 것에는 중대한 문제가 있다. 탁자에 몇 개의 사과가 있는지를 판단하는 것처럼, 수를 세어 대상의 수를 판단하기 위해, 많은 아이들은 첫 번째 사과를 만지거나 가리킨 후 "하나"라고 말하고, 그러고 나서 두 번째 사과로 옮겨가서 "둘"이라고 말하며, 모든 사과를 셀 때까지 이런 방식으로 계속 할 것이다. 만약 0부터 시작하면, 아무것도 만지지 않고 "영"이라고 말해야 하지만, 그 이후로는 사과를 만지기 시작하며 "하나, 둘, 셋" 등으로 말해야 할 것이다. 이것은 매우 혼란스러울 수 있는데 그 이유는 언제 만지고 언제 만지지 않아야 하는지를 강조할 필요가 있을 수도 있기 때문이다.

① 0부터 세는 것

② 역순으로 번호를 매기는 것

③ 주어진 숫자를 더하는 것

④ 게임을 통해 단어를 배우는 것

⑤ 큰 소리로 숫자를 말하는 것

3 털이 적을수록 장거리 달리기에 더 효과적이라고 했으므로 재킷을 입었을 때와 벗었을 때 달리기를 비교하는 것은 털의 부족이 만드는 차이를 알 수 있게 해주는 시험이다.

[해석] 인간들은 최고의 장거리 달리기 선수들이다. 한 사람과 침팬지가 달리기를 시작하자마자 그들은 둘 다 더위를 느낀다. 침팬지는 빠르게 체온이 오른다; 인간들은 그렇지 않은데, 그들은 신체 열을 떨어뜨리는 것을 훨씬 더 잘하기 때문이다. 유력한 한 이론에 따르면, 털이 더 적으면 더 시원하고 장거리 달리기에 더 효과적인 것을 의미하기 때문에 선조 인간들은 잇따른 세대에 걸쳐서 털을 잃었다. 덥고 습한 날에 여분의 재킷 두 개를 입는 것을 시도하고 1마일을 뛰어라. 이제, 그 재킷을 벗고 다시 시도하라. 당신은 털의 부족이 만드는 차이점이 무엇인지 알 것이다.

① 더운 날씨 ② 털의 부족 ③ 근육의 힘 ④ 무리한 운동 ⑤ 종의 다양성

4 대부분의 사람들은 텅 빈 식당과 사람들이 있는 식당 중에서 사람들이 있는 식당에 들어간다는 내용이다.

[해석] 어떤 식당이 대체로 붐빈다는 것을 알게 되면 우리가 그 식당에서 식사할 가능성이 더 크다. 당신이 두 개의 텅 빈 식당 쪽으로 걸어가고 있다고 가정하자. 당신은 어느 곳에 들어가야 할지 모른다. 하지만, 갑자기 당신은 여섯 명의 무리가 둘 중 하나의 식당으로 들어가는 것을 보게 된다. 당신은 텅 빈 식당 혹은 나머지 식당, 둘 중 어느 식당에 들어갈 가능성이 더 높겠는가? 대부분의 사람들은 사람들이 있는 식당에 들어갈 것이다. 당신과 친구가 그 식당에 들어간다고 가정하자. 이제, 그 식당 안에는 여덟 명이 있다. 다른 사람들은 한 식당은 텅 비어 있고 다른 식당은 여덟 명이 있는 것을 보게 된다. 그래서, 그들은 다른 여덟 명과 같은 행동을 하기로 결정한다.

① 양쪽 식당이 점점 더 바빠진다

② 당신과 당신의 친구는 주저하기 시작한다

③ 당신의 결정이 다른 사람들의 결정에 아무 영향을 주지 않는다

④ 그들은 많은 다른 사람들이 하는 것을 거부한다

⑤ 그들은 다른 여덟 명과 같은 행동을 하기로 결정한다

2일 유형 핵심 정리 ❶
16쪽

예제 ③은 Serene의 어머니를 가리키고, 나머지는 모두 Serene을 가리킨다.

[해석] Serene은 그녀의 어머니 앞에서 피루엣을 하려고 했지만 바닥으로 넘어졌다. Serene의 어머니는 그녀가 일어나는 것을 도왔다. 그녀는 성공하고 싶으면 계속 노력해야 한다고 Serene에게 말했다. 하지만, Serene은 눈물이 날 지경이었다. 지난주 그녀는 정말 열심히 연습했지만 나아지지 않은 듯 보였다. Serene의 어머니는 자기 자신이 Serene의 나이였을 때 성공해 내기 전에 여러 번 시도했다고

말했다. 그녀는 너무 자주 넘어져 발목을 삐어서 다시 춤을 출 수 있게 되기까지 3개월 동안 쉬어야 했다. Serene은 놀랐다. 그녀의 어머니는 유명한 발레리나였고, Serene에게 자신의 어머니는 어떠한 공연에서도 결코 넘어지거나 실수를 한 적이 없었다. 어머니의 말을 듣고 그녀는 자신이 지금까지 했던 것보다 더 많은 노력을 기울여야 한다는 것을 깨달았다.

2일 유형 확인 문제 17쪽

1 ①, ③ **2** ③

[1-2] [해석] James Walker는 유명한 레슬링 선수였다. 어느 날 그의 마을의 지도자는 James가 레슬링 선수로서 자신의 기술을 보여 줄 것임을 알렸고, 사람들에게 상금을 위해 그에게 도전할 사람이 있는지 물었다. 모두가 군중 속에서 주위를 둘러보던 중 한 노인이 일어나서 떨리는 목소리로 "내가 그와의 경기에 참가하겠소."라고 말했다. James가 그 노인을 봤을 때, 그는 말문이 막혔다. 그(노인)가 James에게 할 말이 있었기 때문에 노인은 James에게 더 가까이 와 줄 것을 청했다. James가 더 가까이 가자 노인은 "내가 이기는 게 불가능하다는 것은 알고 있지만 내 아이들이 집에서 굶주리고 있다네. 내가 상금으로 아이들에게 밥을 먹일 수 있게 나에게 이 시합을 져 줄 수 있소?"라고 속삭였다. James는 곤경에 처한 사람을 도울 아주 좋은 기회를 얻었다고 생각했다. 그는 아무도 그 시합이 정해졌다고 의심하지 못하도록 몇 가지 동작을 했다. 그러나, 그는 전력을 다하지 않았고 그 노인이 이기게 했다. 노인은 상금을 받고 매우 기뻐했다.

1 레슬링 선수인 James Walker와 상금을 위해 James Walker에게 도전한 노인이 등장한다.

2 ⓒ는 노인을 가리키고, 나머지는 모두 James Walker를 가리킨다.

2일 유형 핵심 정리 ❷ 18쪽

예제 ⑤ 1962년에 멕시코 시민권을 받았다.
[해석] Elizabeth Catlett은 1915년 Washington, D.C.에서 태어났다. 노예의 손녀로서, Catlett은 할머니로부터 노예 이야기를 들었다. 흑인이라는 이유로 Carnegie Institute of Technology로부터 입학을 거절당한 이후, Catlett은 Howard 대학에서 디자인과 소묘를 공부했다. 그녀는 Iowa 대학에서 순수 미술 석사 학위를 취득한 첫 세 명의 학생들 중 한 명이 되었다. 평생 동안, 그녀는 사회적 부당함으로 고통받는 사람들의 목소리를 대변하는 예술 작품을 창작

했다. 그녀는 미국과 멕시코 모두에서 많은 상과 표창으로 인정받았다. 그녀는 멕시코에서 50년이 넘는 세월을 보냈고, 1962년에 멕시코 시민권을 받았다.

2일 유형 확인 문제 19쪽

3 ④ **4** ⑤

[3-4] [해석] James Van Der Zee는 1886년 6월 29일에 Massachusetts 주 Lenox에서 태어났다. 여섯 명의 아이들 중 둘째였던 James는 창의적인 분위기의 집안에서 성장했다. 열네 살에 그는 그의 첫 번째 카메라를 받았고 수백 장의 가족 사진과 마을 사진을 찍었다. 1906년 즈음에, 그는 결혼을 한 채, New York으로 이사했고, 늘어나는 가족을 부양하기 위해 여러 가지 일을 했다. 1907년에, Virginia주 Phoetus로 이사했고, Chamberlin 호텔의 식당에서 일했다. 이 시기에 그는 또한 아르바이트로 사진사로 일했다. 그는 1916년에 자신의 스튜디오를 열었다. 1차 세계대전이 시작되었고 많은 젊은 군인들이 사진을 찍기 위해 스튜디오로 왔다. 1969년에, 전시회 'Harlem On My Mind'는 그에게 국제적인 인정을 받게 하였다. 그는 1983년에 사망하였다.

3 ④ 전시회를 개최한 장소가 어디인지는 언급되지 않았다.

4 ⑤ 1969년에 전시회로 인해 국제적인 인정을 받았다.

2일 적중 예상 베스트 20~21쪽

1 ⑤ **2** ③ **3** ⑤ **4** ③

1 ⑤는 경비원을 가리키고, 나머지는 모두 CEO를 가리킨다.
[해석] 대기업의 CEO가 큰 검정색 리무진에서 내렸다. 늘 그렇듯, 그는 정문으로 가는 계단을 올랐다. 그가 막 커다란 유리문을 통과하려 할 때, 그는 "대단히 죄송합니다만, 신분증이 없으면 들어가실 수 없습니다."라고 말하는 목소리를 들었다. 그 회사에서 수년 동안 근무해온 그 경비원은 얼굴에 감정을 전혀 드러내지 않은 채 상관의 눈을 똑바로 쳐다보았다. CEO는 할 말을 잃었다. 그는 주머니를 더듬었으나 허사였다. 그는 아마도 그의 신분증을 집에 두고 왔던 모양이다. 그는 미동도 하지 않는 경비원을 다시 한 번 쳐다보고 생각에 잠겨 턱을 긁적거렸다. 그런 다음 그는 발걸음을 돌려 그의 리무진으로 돌아갔다. 그 경비원은 내일 이맘때 그(경비원)가 경비실장으로 승진하게 되리라는 것을 알지 못한 채 서 있었다.

2 ③은 Arden McMath를 가리키고, 나머지는 모두 Meghan Vogel을 가리킨다.

[해석] Meghan Vogel은 지쳤다. 그녀는 2012년 1,600미터 달리기 주 선수권 대회에서 막 우승을 했기 때문이었다. 그녀는 그 후에 너무 기진맥진해서 다음 시합인 3,200미터 경기 막판에는 꼴찌를 하고 있었다. 그 긴 경주의 마지막 바퀴를 돌고 있을 때, 그녀 앞에 있던 선수인 Arden McMath가 땅에 쓰러졌다. 그녀는 달리던 것을 멈추고 McMath가 일어설 수 있도록 도와 주었다. 그들은 함께 마지막 30미터를 걸었다. Vogel은 결승선으로 그녀를 이끌었다. 그리고 나서 Vogel은 McMath가 자신보다 앞서서 결승선을 통과하도록 살짝 밀어 주었다. 나중에, Vogel의 고향에서 그녀를 축하하는 퍼레이드를 개최했다. 그 퍼레이드는 그녀가 1등으로 들어온 시합 때문이 아니었다. 그것은 그녀가 꼴찌로 들어온 시합 때문이었다.

3 2차 세계 대전이 종료된 후 노르웨이로 돌아왔다고 했으므로 ⑤는 일치하지 않는다.

[해석] Sigrid Undset은 1882년 5월 20일 덴마크의 Kalundborg에서 태어났다. 그녀는 2살 때 노르웨이로 이주하였다. 그녀는 16세에 가족을 부양하기 위해 기술 회사에 취업을 하였다. 그녀는 책을 많이 읽었고, 외국 문학, 특히 영국 문학뿐만 아니라, 북유럽 문학에 관한 상당한 지식을 습득하였다. 그녀는 36권의 책을 집필하였다. 독자의 관심을 끌지 못한 책은 없다. 1928년에 그녀는 노벨 문학상을 수상하였다. 그녀는 독일 점령 기간 중 노르웨이를 떠났으나, 2차 세계 대전이 종료된 후 돌아왔다.

4 ③ 소설가보다 편집자로서 더 유명하다.

[해석] Jessie Redmon Fauset은 1884년 New Jersey의 Snow Hill에서 태어났다. 그녀는 Cornell 대학교를 졸업한 최초의 흑인 여성이었다. Fauset은 소설, 시, 수필을 쓰는 것 외에도, Washington, D.C.의 공립학교에서 프랑스어를 가르쳤고, 저널 편집자로서 일했다. 비록 그녀는 소설가보다 편집자로서 더 유명하지만, 많은 비평가들은 그녀의 소설 'Plum Bun'을 Fauset의 가장 뛰어난 작품으로 간주한다. 그 속에서 그녀는 한 흑인 소녀의 이야기를 하는데, 그 소녀는 백인으로 여겨질 수 있지만 결국에는 자신의 인종적 정체성과 자부심을 주장한다. Fauset은 1961년 4월 30일에 Philadelphia에서 심장병으로 사망했다.

3일 유형 핵심 정리 ❶　24쪽

예제 ③ 2016년에 데스크톱을 사용하여 디지털 콘텐츠에 접근한 비율은 49%로 절반이 넘지 않는다.

[해석] 위 그래프는 2016년과 2019년에 교육용 디지털 콘텐츠에 접근하기 위해 기기를 사용한 유치원에서 12학년까지의 학생들의 비율을 보여 준다. ① 두 해 모두 노트북은 디지털 콘텐츠에 접근하기 위해 학생들이 가장 많이 사용한 기기였다. ② 2016년과 2019년 모두 10명 중 6명이 넘는 학생들이 태블릿을 사용했다. ③ 2016년에는 절반이 넘는 학생들이 데스크톱을 사용하여 디지털 콘텐츠에 접근했고, 2019년에는 3분의 1이 넘는 학생들이 데스크톱을 사용했다. ④ 2016년의 스마트폰의 비율은 2019년의 스마트폰의 비율과 같았다. ⑤ 전자책 단말기는 두 해 모두 가장 낮은 순위를 차지했는데, 2016년에는 11퍼센트였고 2019년에는 5퍼센트였다.

3일 유형 확인 문제　25쪽

1 smartphone　**2** ⑤

[1-2] [해석] 위 도표는 2014년과 2016년에 영국인들이 인터넷 접속을 할 때 어떤 장치들이 가장 중요하다고 생각했는지를 보여 준다. ⓐ 2016년도에 3분의 1이 넘는 영국 인터넷 사용자들은 스마트폰을 가장 중요한 인터넷 접속 장치로 생각했다. ⓑ 같은 해에 스마트폰이 인터넷 접속을 위해 가장 중요한 장치로서 노트북을 추월했다. ⓒ 2014년에 영국 인터넷 사용자들은 인터넷 접속을 위한 가장 중요한 장치로 태블릿을 가장 적게 선택하는 경향이 있었다. ⓓ 대조적으로, 2016년에는 인터넷 접속을 위한 가장 중요한 장치로 데스크탑을 가장 적게 선택하는 경향이 있었다. ⓔ 인터넷 접속을 위한 가장 중요한 장치로 데스크탑을 선택한 영국 인터넷 사용자들의 비율은 2016년도에 2014년도 비율의 절반만큼 증가하였다.

1 2016년도에 인터넷 접속을 위해 가장 많이 선택한 장치는 36%가 선택한 smartphone이다.

2 ⓔ 인터넷 접속을 위한 가장 중요한 장치로 데스크탑을 선택한 영국 인터넷 사용자의 비율은 2014년도에 20%이고, 2016년도에 12%로, 절반 가까이 감소하였다.

3일 유형 핵심 정리 ❷　26쪽

예제 ⑤ 날씨에 상관없이 운영된다.

[해석] 봄 농장 캠프
우리의 일일 봄 농장 캠프는 여러분의 자녀에게 실제 직접 해 보는 농장 경험을 제공합니다.
기간: 4월 19일 월요일 ~ 5월 14일 금요일
시간: 오전 9시 ~ 오후 4시
나이: 6세 ~ 10세

참가비: 개인당 70달러 (점심과 간식 포함)

활동: • 염소젖으로 치즈 만들기

　　　• 딸기 따기

　　　• 집으로 가져갈 딸기잼 만들기

날씨에 상관없이 운영합니다.

더 많은 정보를 원하시면 www.b_orchard.com에 접속하세요.

3일 유형 확인 문제　　　27쪽

3 ④　　**4** 6월 15일까지 등록하면 된다.

[3-4] 해석 여름 캠프 2019

이 캠프는 사교 기술과 창의력을 발달시키기 위한 훌륭한 기회입니다!

기간 및 참가 • 7월 1일~5일 (월요일~금요일)

　　　　　• 8세~12세 (한 반당 최대 20명)

프로그램 • 요리

　　　　• 야외 활동 (하이킹, 래프팅, 그리고 캠핑)

비용 • 일반 가격: 1인당 100달러

　　• 할인 가격: 90달러 (6월 15일까지 등록 시)

알림 • 프로그램은 기상 조건에 관계없이 진행될 것입니다.

　　• 등록하시려면 summercamp@standrews.com으로 이메일을 보내주세요.

더 많은 정보가 필요하다면 우리 웹사이트(www.standrews.com)를 방문해 주세요.

3 ① 8~12세로 연령 제한이 있다.

　② 하이킹, 래프팅, 캠핑의 야외 활동이 운영된다.

　③ 할인된 가격은 90달러이다.

　⑤ 등록하려면 이메일을 보내야 한다.

4 Discounted: $90 (if you register by June 15)에서 답을 알 수 있다.

3일 적중 예상 베스트　　　28~29쪽

1 ④　　**2** ⑤　　**3** ⑤

1 ④ 영어 원어민 수(3억 7500만 명)는 스페인어 원어민 수(3억 3000만 명)보다 더 많다.

해석 위 그래프는 2015년에 전 세계에서 가장 많이 사용되는 다섯 개 언어의 총 사용자 수와 원어민 수를 보여 준다. ① 영어는 전 세계에서 가장 많이 사용되는 언어로, 15억 명의 총 사용자가 있다. ② 중국어는 목록에서 2위로 11억 명의 총 사용자가 있다. ③ 하지만 원어민 수라는 면에서는, 전 세계에서 중국어가 가장 많이 사용되는 언어이며, 힌두어가 그 뒤를 잇는다. ④ 영어 원어민 수는 스페인어 원어민 수보다 더 적다. ⑤ 프랑스어는 원어민 수라는 면에서 다섯 개 언어 중 가장 적게 사용되는 언어이다.

2 ⑤ 참가 신청 마감은 3월 22일 오후 4시이다.

해석 Waverly 고등학교 친선 체스 토너먼트

3월 23일, 토요일, 오전 10시

• 장소: Waverly 고등학교 강당

• 참가 신청 마감: 3월 22일 오후 4시

• 연령 부문: 7~12세, 13~15세, 16~18세

• 상: 각 부문별 금상, 은상, 동상

　– 시상식: 오후 3시

　– 모든 참가자는 참가 증명서를 받을 것입니다!

3 영국의 남서부 지역에서 가장 큰 불꽃놀이이고, 라이브 음악 쇼가 불꽃놀이 전에 진행된다. 불꽃놀이는 30분 동안 진행되며, 주차장은 무료이다.

해석 Crystal Castle 불꽃놀이

영국의 남서부에 와서 가장 큰 불꽃놀이에 즐기세요!

날짜: 2020년 12월 5일과 6일

장소: Crystal Castle, Oak 가 132

시간: 16:30~17:30 라이브 음악 쇼

　　　18:00~18:30 불꽃놀이

주차: 무료 주차장이 14시에 개방됩니다.

주의 사항: 12세 이하의 모든 아동은 성인과 동행해야 합니다.

4일 유형 핵심 정리 ❶　　　32쪽

예제 새로 이사 온 이웃집에 또래 여자아이가 있다는 말을 듣고 몹시 기뻐하고 있다.

해석 집에 오는 길에, Shirley는 트럭 한 대가 길 건너편 집 앞에 주차된 것을 알아챘다. 새 이웃이었다! Shirley는 그들에 대해 알고 싶어 죽을 지경이었다. 저녁 식사 시간에 그녀는 "새 이웃에 대해 뭔가 알고 계세요?"라고 아빠에게 물었다. 그는 "그럼. 그리고 네 흥미를 끌 만한 것이 한 가지 있지."라고 말했다. Shirley는 더 묻고 싶은 게 엄청나게 많았다. 아빠는 "딱 네 나이의 여자아이가 한 명 있어. 아마 그 애가 네 놀이 친구가 되고 싶어 할 수도 있어."라고 기쁘게 말했다. Shirley는 포크를 바닥에 떨어뜨릴 뻔했다. 그녀가 얼마나 많이 친구를 달라고 기도했던가? 마침내, 그녀의 기도가 응답받았다! 그

녀와 새로 온 여자아이는 함께 학교에 가고, 함께 놀고, 그리고 제일 친한 친구가 될 수 있을지도 모른다.

① 궁금하고 신이 난
② 미안하고 화가 난
③ 질투가 나고 짜증난
④ 차분하고 느긋한
⑤ 낙담하고 불행한

4일 유형 확인 문제   33쪽

1 ⑤   **2** ⑤

[1-2] 해석 40피트 정도의 물속에서 혼자 잠수하고 있었을 때, 나는 배가 몹시 아팠다. 나는 가라앉고 있었고 거의 움직일 수가 없었다. 나는 시계를 볼 수 있었고 공기가 떨어지기 전까지 (산소) 탱크 잔여 시간이 조금 밖에 없다는 것을 알았다. 웨이트 벨트를 벗기가 힘들었다. 갑자기 나는 뒤에서 겨드랑이 밑으로 쿡 찌르는 것을 느꼈다. 내 팔이 강제로 들어 올려지고 있었다. 내 시야에 눈이 하나 들어왔다. 그것은 웃고 있는 것 같았다. 그것은 큰 돌고래의 눈이었다. 그 눈을 들여다보니, 나는 안전하다는 것을 알았다. 나는 그 동물이 수면으로 나를 들어 올려 보호해 주고 있다고 느꼈다.

1 ⑤ 글쓴이는 돌고래의 눈을 보고 자신이 안전하다는 것을 알았다고 했다.

2 물속에서 가라앉고 있어 겁에 질렸다가 자신을 들어 올리는 돌고래의 눈을 보고 안전하다고 느끼며 안심하게 되었다.
해석 ① 신이 난 → 지루한
② 기쁜 → 화가 난
③ 질투가 나는 → 감사하는
④ 자랑스러워하는 → 난처한
⑤ 겁에 질린 → 안심한

4일 유형 핵심 정리 ❷   34쪽

예제 과거의 실수에 연연해하지 말고 그 실수를 통해 앞으로의 대처 방법을 배워야 한다는 내용이다.
해석 '내가 그것을 하지 말았어야 했는데!'라는 반응을 넘어서라. 만일 여러분이 느끼는 실망이 시험공부를 하지 않기 때문에 통과하지 못

한 시험, 또는 완전히 잘못된 접근 방법을 택하는 바람에 좋은 인상을 주지 못한 사람과 연관되어 있다면, 이제는 그 일이 '일어나 버렸다'는 것을 받아들여라. '내가 그것을 하지 말았어야 했는데'의 유일한 가치는 다음에 무엇을 할지 더 잘 알게 되리라는 점이다. 배움으로 얻게 되는 이득은 유용하고 의미가 있다. 이러한 '내가 …하기만 했다면'이라는 의제는 가상의 것이다. 일단 여러분이 그것을 파악했다면, 이제 그것을 과거 시제에서 미래 시제로 바꿀 때이다: '다음에 내가 이 상황일 때 나는 …하려고 노력할 것이다.'

① 당신의 관심사와 연관된 직업을 찾아라
② 후회를 극복하고 다음을 위한 계획을 세워라.
③ 자신을 지지하는 사람들과 가까이 지내라
④ 문법을 공부해서 명확한 문장을 써라
⑤ 당신의 말투를 살피고 사과하라

4일 유형 확인 문제   35쪽

3 deer in headlights   **4** ③

[3-4] 해석 기술은 의문의 여지가 있는 이점을 지니고 있다. 우리는 정확한 정보만 사용해서 의사 결정 과정을 간소하게 하는 것에 맞추어 너무 많은 정보는 조절해야 한다. 인터넷은 어떤 문제에 대해서도 너무 많은 무료 정보를 이용 가능하게 만들어서 우리는 어떤 결정을 하기 위해서 그 모든 정보를 고려해야 한다고 생각한다. 그래서 우리는 계속 인터넷에서 답을 검색한다. 이것이 우리가 개인적, 사업적, 혹은 다른 결정을 하려고 애쓸 때, 전조등 불빛에 노출된 사슴처럼, 우리를 정보에 눈멀게 만든다. 오늘날 어떤 일에 있어서 성공하기 위해서는, 우리는 눈먼 사람들의 세계에서는 한 눈으로 보는 사람이 불가능해 보이는 일을 이룰 수 있다는 것을 명심해야 한다. 한 눈으로 보는 사람은 어떤 분석이든 단순하게 하는 것의 힘을 이해하고, 직관이라는 한 눈을 사용할 때 의사 결정자가 될 것이다.

3 This makes us information blinded, like deer in headlights에서 답을 찾을 수 있다.

4 인터넷에 너무 많은 무료 정보가 있어서 오히려 결정을 할 수 없는 것을 전조등 불빛에 노출된 사슴에 비유하여 정보에 눈이 멀었다고 표현하였다.
해석 ① 다른 사람들의 생각을 받아들이려 하지 않는
② 무료 정보에 접근할 수 없는
③ 너무나 많은 정보 때문에 의사 결정을 할 수 없는
④ 이용 가능한 정보의 부족에 무관심한
⑤ 의사 결정에 기꺼이 위험을 감수하는

1 ①   **2** ①   **3** ④   **4** ③

1 생일날 강아지를 얻게 되어 기뻤다가, 몇 달 후 강아지가 사라져 슬픔에 잠겨 있다.

해석 나의 일곱 번째 생일에 목줄을 매고 기다리고 있는 강아지로 엄마는 나를 놀라게 했다. 그것은 아름다운 황금빛 털과 사랑스러운 꼬리를 가지고 있었다. 그것은 바로 내가 항상 꿈꿨던 것이었다. 나는 그 강아지를 어디든지 데리고 다녔고 매일 밤 같이 잤다. 몇 달 후, 그 강아지는 뒷마당에서 빠져나가 사라졌다. 엄마가 내 방 문간에서 조용히 나를 바라보는 동안 나는 침대에 앉아 몇 시간 동안 울었다. 나는 슬픔에 지쳐 마침내 잠이 들었다. 엄마는 나의 상실에 대해 나에게 한마디도 하지 않았지만, 나는 엄마도 나와 똑같이 느꼈다는 것을 알았다.
① 기쁜 → 슬픈
② 느긋한 → 짜증난
③ 당황한 → 걱정스러운
④ 신이 난 → 겁에 질린
⑤ 실망한 → 만족한

2 관중 앞에서 처음으로 말하게 되어 긴장했다가 관중의 우호적인 표정을 보고 안도하게 되었다.

해석 Salva는 남부 수단을 돕기 위한 프로젝트를 위해서 모금을 해야 했다. Salva가 관중 앞에서 말하는 것은 처음이었다. 그가 마이크로 걸어갈 때 Salva의 다리가 후들거리고 있었다. "아-아-안녕하세요"라고 그가 말했다. 손을 떨면서, 그는 관중을 바라보았다. 모든 사람들이 그를 보고 있었다. 그때, 그는 모든 얼굴이 그가 할 말에 관심이 있어 보임을 알아차렸다. 사람들은 미소 짓고 있었고 우호적으로 보였다. 그것이 그의 기분을 좀 더 나아지게 해서, 그는 다시 마이크에 대고 말했다. "안녕하세요." 그는 반복했다. 그는 안심하여 미소를 지었고 말을 이어갔다. "저는 남부 수단을 위한 프로젝트에 관해 여러분께 말씀드리려고 이 자리에 섰습니다."
① 불안한 → 안도하는
② 무관심한 → 신이 난
③ 걱정하는 → 실망한
④ 만족한 → 절망한
⑤ 자신감 있는 → 당황한

3 "sweet spot"은 부족과 과잉 둘 다를 피하는 중간 지점이다.

해석 인생의 거의 모든 것에는, 좋은 것에도 지나침이 있을 수 있다. 심지어 인생에서 최상의 것도 지나치면 그리 좋지 않다. 이 개념은 적어도 아리스토텔레스 시대만큼 오래 전부터 논의되어 왔다. 그는 미덕이 있다는 것은 균형을 찾는 것을 의미한다고 주장했다. 예를 들어, 사람들은 용감해져야 하지만, 만약 어떤 사람이 너무 용감하다면 그 사람은 무모해진다. 이러한 각각의 특성에 있어, 부족과 과잉 둘 다를 피하는 것이 최상이다. 최상의 방법은 행복을 극대화하는 "sweet spot"에 머무르는 것이다. 아리스토텔레스는 미덕은 중간 지점에 있다고 말한다.
① 편향된 결정의 시기에
② 물질적으로 풍요로운 지역에서
③ 사회적 압박에서 벗어나
④ 두 극단의 중간에서
⑤ 순간적인 쾌락의 순간에

4 여러분을 화나게 하기 위해 의도적으로 고안한 말을 했는데 여러분이 화내지 않고 침착하게 답변하는 상황을 '미끼를 물지' 않았다고 표현한 것이다.

해석 많은 논쟁에서 첫 번째로 저지르는 것 중에 하나가 화내는 것이라는 점을 우리 모두 안다. 침착함을 유지하라고 말하는 것은 쉽지만, 어떻게 침착함을 유지하는가? 기억해야 할 점은 때로는 논쟁에서 상대방은 여러분을 화나게 하려고 한다는 것이다. 그들은 여러분을 화나게 하기 위해 의도적으로 고안한 말을 하고 있을지도 모른다. 그들은 만약 자신들이 여러분의 침착함을 잃게 한다면 여러분은 어리석게 들리는 말을 할 것이며, 그저 화를 내고 그러면 여러분이 그 논쟁에서 이기는 것은 불가능할 것이란 것을 안다. 그러니 속아 넘어가지 마라. 여러분의 화를 불러일으키기 위해 어떤 말을 할지도 모르지만, 제기된 문제에 초점을 맞춘 침착한 답변으로 대응하는 것이 가장 효과적인 것 같다. 정말로, 주의 깊은 청자라면 누구라도 여러분이 '미끼를 물지' 않았다는 사실에 감탄할 것이다.
① 침착하다 ② 자신을 탓하다 ③ 화를 내다 ④ 청중의 말을 듣다
⑤ 여러분의 행동에 대해 사과하다

예제 ③ 동명사구 Finding different ways to produce sounds 가 문장의 주어이므로, 이와 연결되는 be동사는 is로 써야 한다.

해석 비록 악기를 잡고 연주하는 정확한 방법이 대체로 있다고 해도, 우선적으로 가장 중요한 가르침은 악기가 장난감이 아니라는 것과 악기를 관리해야 한다는 것이다. 아이들에게 (악기를 직접 다루고 연주하는) 방법을 알려 주기 전에 악기를 직접 다루고 연주하는 방법을 탐구할 시간을 주어라. 소리를 만들어 내는 여러 가지 방법을 찾는 것은 음악적 탐구의 중요한 단계이다. 정확한 연주는 가장 알맞은 음질을 찾고 오랜 시간 동안 잘 다루면서 연주할 수 있도록 가장 편안한 연주 자세를 찾으려는 욕구에서 나온다. 악기와 음악이 더

복잡해 짐에 따라, 알맞은 연주 기술을 알게 되는 것은 점점 더 유의미해진다.

1 Bordeaux University students **2** ④

[1-2] [해석] 비록 음식에 대한 우리 평가의 일부가 음식의 시각적 외관인 것은 분명하지만, 어떻게 시각적인 입력 정보가 맛과 냄새에 우선할 수 있는가는 놀라울 것이다. 만약 예를 들어 초록색 빛깔의 오렌지 음료와 같이 색깔이 잘못되어 있다면, 사람들은 과일 맛이 나는 음료를 정확하게 식별하는 것이 매우 어렵다는 것을 알게 된다. 포도주 맛을 감정하는 사람들의 경험은 훨씬 더 놀라울 것이다. 포도주와 포도주 제조에 관해 공부하는 Bordeaux 대학교 학생들을 대상으로 한 연구는 그들이 붉은색 색소로 물들인 백포도주를 받았을 때, '자두와 초콜릿'과 같은 적포도주에 적합한 시음표를 선택했다는 것을 보여 주었다. 숙련된 뉴질랜드 포도주 전문가들도 마찬가지로 백포도주 Chardonnay를 붉은색 색소로 물들였을 때, 속아서 그것이 실제로 적포도주라고 생각하게 되었다.

1 앞에 나오는 연구 대상인 'Bordeaux 대학교 학생들'을 가리킨다.

2 ④ 주어(they)가 행위의 대상이므로 수동태(were given)가 되어야 한다.

예제 어떤 것의 큰 가격 하락이 세상을 바꿀 수 있다는 내용으로, 인공조명의 가격 하락을 예로 들어 설명하고 있다.

③ increase → drop

[해석] 기본적인 어떤 것의 가격이 크게 하락할 때 온 세상이 바뀔 수 있다. 조명을 생각해 보자. 아마 여러분은 어떤 유형의 인공조명 아래에서 이 문장을 읽고 있을 것이다. 또한, 여러분은 독서를 위해 인공조명을 이용하는 것이 그럴 만한 가치가 있는지에 대해 아마 생각해 본 적이 없을 것이다. 조명 값이 너무 싸서 여러분은 생각 없이 그것을 이용한다. 하지만 1800년대 초반에는 같은 양의 조명에 대해 오늘날 지불하고 있는 것의 400배만큼의 비용이 들었을 것이다. 그 가격이면, 여러분은 비용을 의식할 것이고 책을 읽기 위해 인공조명을 이용하기 전에 다시 한 번 생각할 것이다. 조명 가격의 상승(→ 하락)이 세상을 밝혔다. 그것은 밤을 낮으로 바꾸었을 뿐만 아니라, 우리가 자연광이 들어올 수 없는 큰 건물에서 살고 일할 수 있게 해 주었다.

3 ③ **4** ⑤

[3-4] [해석] 우리는 흔히 작은 변화들이 당장은 크게 중요한 것 같지 않아서 그것들을 무시한다. 지금 돈을 약간 모아도 여러분은 여전히 백만장자가 아니다. 오늘 밤에 스페인어를 한 시간 동안 공부해도 여러분은 여전히 그 언어를 익힌 것이 아니다. 우리는 약간의 변화를 만들어 보지만, 그 결과는 결코 빨리 오지 않는 것 같고 그래서 우리는 이전의 일상으로 다시 빠져든다. 변화의 느린 속도는 또한 나쁜 습관을 버리기 쉽게(→ 어렵게) 만든다. 오늘 몸에 좋지 않은 음식을 먹어도 저울 눈금은 크게 움직이지 않는다. 하나의 결정은 무시하기 쉽다. 하지만 우리가 잘못된 결정을 반복적으로 따름으로써 작은 오류를 나날이 반복한다면, 우리의 작은 선택들이 모여 좋지 않은 결과를 만들어 낸다. 많은 실수는 결국 문제로 이어진다.

3 작은 변화들은 그로 인한 결과를 빨리 볼 수 없고, 변화의 속도가 느리기 때문에 나쁜 습관을 버리는 것을 어렵게 만든다는 내용이므로 ③ easy(쉬운)를 difficult(어려운)와 같은 단어로 바꿔야 한다.

4 ⑤ 작은 오류를 나날이 반복한다면 작은 선택들이 모여 좋지 않은 결과를 만들어낸다고 했다.

1 ② **2** ④ **3** ⑤ **4** ③

1 ② '너무 ~해서 …하다'라는 의미의 'so ~ that …' 구문의 that절을 이끌어야 하므로, which를 that으로 바꿔야 한다.
[해석] "먹는 것이 여러분을 만든다." 그 구절은 흔히 여러분이 먹는 음식과 여러분의 신체 건강 사이의 관계를 보여 주기 위해 사용된다. 하지만 여러분은 가공식품, 통조림 식품, 포장 판매 식품을 살 때 자신이 무엇을 먹고 있는 것인지 정말 아는가? 오늘날 만들어진 제조 식품 중 다수가 너무 많은 화학물질과 인공적인 재료를 함유하고 있어서 때로는 정확히 그 안에 무엇이 들어 있는지 알기가 어렵다. 다행히도 이제는 식품 라벨이 있다. 식품 라벨은 여러분이 먹는 식품에 관한 정보를 알아내는 좋은 방법이다. 식품 라벨은 책에서 볼 수 있는 목차와 같다. 식품 라벨의 주된 목적은 여러분이 구입하고 있는 식품 안에 무엇이 들어 있는지 여러분에게 알려주는 것이다.

2 ④ 명사구 This way ~ discoveries가 문장의 주어이므로 동사는 3인칭 단수형인 ensures가 되어야 한다.

해석 우주의 불가사의한 것들에 관한 답을 찾는 많은 방법들이 있고, 과학은 이러한 것들 중 단지 하나이다. 그러나 과학은 독특하다. 추측하는 대신에, 과학자들은 그들의 생각이 사실인지 거짓인지 증명하도록 고안된 체계를 따른다. 그들은 그들의 이론과 결론을 끊임없이 재검토하고 시험한다. 기존의 생각들은 과학자들이 그들이 설명할 수 없는 새로운 정보를 찾을 때 대체된다. 누군가가 발견을 하면, 다른 사람들은 그들 자신의 연구에서 그 정보를 사용하기 전에 그것을 주의 깊게 검토한다. 더 이전의 발견들에 새로운 지식을 쌓아가는 이러한 방법은 과학자들이 그들의 실수를 바로잡는 것을 보장한다. 과학적 지식으로 무장해서, 사람들은 우리가 사는 방식을 변화시키는 도구와 기계를 만들고, 그것은 우리의 삶을 훨씬 더 쉽고 나아지게 한다.

3 우리는 변화를 불편하게 여기기 때문에 과학기술이 어떻게 우리의 삶을 향상시킬 수 있는가에 관한 생각조차 제한될 수 있다는 내용이다. ⑤ encouraged를 limited와 같은 단어로 바꿔야 한다.

해석 과학기술의 발전은 흔히 변화를 강요하는데, 변화는 불편하다. 이것은 과학기술이 흔히 저항을 받고 일부 사람들이 그것을 위협으로 인식하는 주된 이유 중 하나이다. 과학기술이 우리 삶에 끼치는 영향력을 고려할 때 우리는 불편함에 대한 우리의 본능적인 증오를 이해하는 것이 중요하다. 사실, 우리의 대부분은 최소한의 저항의 길을 선호한다. 이 경향은 많은 사람들에게 새로운 무엇인가를 시작하는 것이 너무 힘든 일일 뿐이기 때문에 새로운 과학기술의 진정한 잠재력이 실현되지 않은 채로 남아 있을 수 있다는 것을 의미한다. 심지어 새로운 과학기술이 어떻게 우리의 삶을 향상시킬 수 있는가에 관한 우리의 생각은 편안함을 추구하는 이 타고난 욕구에 의해 <u>장려될(→ 제한될)</u> 수 있다.

4 (A) 아기들은 뇌의 에너지 사용 비율이 높기 때문에 뇌의 성장이 아기들을 '소진시킨다.' (B) 앞의 내용으로 보아 뇌는 다른 기관보다 훨씬 '더 많은' 에너지를 사용한다. (C) 뇌는 하루에 약 400 칼로리의 에너지만 필요로 하므로 '효율적'이다.

해석 뇌는 몸무게의 2퍼센트만을 차지하지만 우리의 에너지의 20퍼센트를 사용한다. 갓 태어난 아기의 경우, 그 비율은 65퍼센트에 달한다. 그것은 부분적으로 아기들이 항상 잠을 자고─뇌의 성장이 그들을 <u>소진시키고</u>, 많은 체지방을 보유하는 이유인데, 필요할 때 보유한 에너지를 사용하기 위한 것이다. 실제로, 물질 단위 당, 뇌는 다른 기관보다 훨씬 더 많은 에너지를 사용한다. 그것은 우리 장기 중 뇌가 단연 가장 에너지 소모가 많다는 것을 의미한다. 하지만 그것은 또한 놀랍도록 <u>효율적</u>이다. 뇌는 하루에 약 400 칼로리의 에너지만 필요로 하는데, 블루베리 머핀에서 얻는 것과 거의 같다. 머핀으로 24시간 동안 노트북을 작동시켜서 얼마나 가는지 보라.

[1-2] 해석 여러분이 성취하고자 하는 목표를 고수하는 것은 매우 어렵지만, 때때로 우리는 심지어 애초부터 우리가 감동받지 못할 목표를 세우기도 한다. 우리는 우리에게 실제로 중요한 것이라기보다 우리가 해야만 하는 것, 또는 다른 사람들이 생각하기에 우리가 해야만 하는 것에 기초하여 결심을 하게 된다. 이것은 목표를 고수하는 것을 거의 불가능하게 만든다. 예를 들어, 더 많은 독서를 하는 것은 좋은 습관이지만, 여러분이 실제로 더 배우기를 원해서가 아니라 여러분이 해야만 하는 것처럼 느끼기 때문에 단지 그것을 하고 있다면, 여러분은 목표에 도달하는 데 어려움을 겪을 것이다. 대신에, 여러분 자신의 <u>가치 기준</u>에 기초하여 목표를 세워라. 자, 이것은 여러분이 독서를 더 적게 해야 한다는 것을 말하는 것이 아니다. 그 생각은 우선 여러분에게 중요한 것을 고려해서 목표에 도달하기 위해 여러분이 할 필요가 있는 것을 이해하는 것이다.

어휘 stick with[to]: ~을 고수하다 thrilled: 황홀해하는 resolution: 결심, 다짐 based on: ~에 기초[근거]하여 figure out: 이해하다, 생각해 내다

1 앞의 내용에 대한 구체적인 예시가 이어지므로 For example이 적절하다.

해석 ① 게다가 ② 예를 들면 ③ 다시 말해서 ④ 대신에 ⑤ 반면에

2 우리에게 실제로 중요한 것이 아니라 우리가 해야만 하는 것에 기초하여 결심을 하는 것이 문제이므로 대신에, '자신의 가치 기준'에 기초하여 목표를 세워야 한다는 내용이다.

해석 ① 여러분의 도덕적 의무 ② 엄격한 마감 시간 ③ 여러분 자신의 가치 기준 ④ 부모의 지도 ⑤ 직업 시장 추세

3 ④ 2014년에 잡지를 이용한 영국 성인의 비율은 2013년보다 낮았다.

해석 위 그래프는 2013년과 2014년에 영국 성인이 뉴스에 접근했던 방법을 보여 준다. ①두 해 모두, TV는 뉴스에 접근하는 가장 인기가 있는 방법이었다. ②웹 사이트나 앱을 사용하는 것은 2013년에 네 번째로 가장 인기가 있는 방법이었으나, 2014년에는 두 번째로 가장 인기가 있는 방법으로 상승했다. ③반면에, 라디오 청취는 2013년에 세 번째로 가장 인기가 있는 방법이었지만, 2014년에는 네 번째로 가장 인기가 있는 방법으로 떨어졌다. ④2014년에 잡지를 이용한 영국 성인의 비율은 2013년보다 <u>높았다(→ 낮았다)</u>. ⑤2014년에 신문을 이용한 영국 성인의 비율은 2013년과 동일했다.

어휘 access: 접근하다, 접속하다 remain: 계속 ~이다

[4-5] 해석 "같이 할래?"라고 Amy의 새 학교 첫날에 어떤 명랑한 목소리가 말했다. Wilhemina였다. Amy는 너무 놀라 고개를 끄덕이기만 했다. 그 덩치 큰 흑인 소녀는 Amy의 공책 옆에 그녀의 공책을 놓았다. 공책을 놓은 후, 그녀는 Amy 옆 의자에 올라앉았다. "나는 Wilhemina Smiths야, 양 끝에 s가 있는 Smiths."라고 그녀는 다정하게 웃으며 말했다. "내 친구들은 나를 Mina라고 불러. 너는 Amy Tillerman이지." Amy는 고개를 끄덕이며 쳐다보았다. 유일한 전학생인 그녀는 실험실 파트너가 생겨서 기뻤다. 그러나 Amy는 그녀가 전학생을 안쓰럽게 여겨서 자신을 선택한 것이 아닌지 궁금했다.

어휘 nod: 끄덕이다   stool: 등받이 없는 의자   stare: 빤히 쳐다보다

4 ⓓ는 Amy를, 나머지는 모두 Wilhemina를 가리킨다.

5 Amy는 새 학교 첫날이라 낯선 곳에서 Wilhemina가 먼저 말을 걸자 놀랐다가, 실험실 파트너가 생겨서 기뻤다. 그러나 Wilhemina가 자신을 안쓰럽게 여겨서 자신을 선택한 것이 아닌지 궁금했다.

해석 ① 낯선 ② 놀란 ③ 기쁜 ④ 궁금해 하는 ⑤ 무서운

6 ③ 토양의 표면 위로 1인치 이상 거의 자라지 않는다고 했다.

해석 Lithops는 독특한 바위 같은 겉모양 때문에 종종 '살아있는 돌'로 불리는 식물이다. 이것은 원산지가 남아프리카 사막이지만, 식물원과 종묘원에서 흔히 팔린다. Lithops는 수분이 거의 없는 빡빡한 모래 토양과 극히 높은 온도에서 잘 자란다. Lithops는 작은 식물로, 토양의 표면 위로 1인치 이상 거의 자라지 않고 보통 단 두 개의 잎을 가지고 있다. 두꺼운 잎은 동물 발의 갈라진 틈이나 함께 모여 있는 한 쌍의 회갈색 빛을 띠는 돌과 닮았다. 이 식물은 실제 줄기는 없고 식물의 대부분이 땅속에 묻혀 있다. 겉모양은 수분을 보존하는 효과를 가지고 있다.

어휘 on account of: ~ 때문에   nursery: 종묘원   compacted: 꽉 찬, 탄탄한   extreme: 극도의   resemble: 닮다   stem: 줄기   conserve: 보존하다

6일 누구나 100점 테스트 2회   48~49쪽

1 ⑤   2 ③   3 ⑤   4 ⑤   5 ④   6 ⑤

[1-2] 해석 우리는 사건을 선택적으로 해석하는 경향이 있다. 만약 우리가 일이 "이렇게" 또는 "그렇게" 되기를 원한다면, 우리는 틀림없이 그러한 관점을 뒷받침하는 방식으로 증거를 선택하거나 쌓거나 배열할 수 있다. 선택적인 지각은 우리에게 두드러져 보이는 것에 기반을 둔다. 그러나 우리에게 두드러져 보이고 있는 것은 우리의 목표, 관심

사, 기대, 과거의 경험 또는 상황에 대한 현재의 요구와 매우 관련 있을지도 모른다 — "망치를 손에 들고 있으면, 모든 것은 못처럼 보인다." 이 인용문은 선택적 지각의 현상을 강조한다. 만약 우리가 망치를 사용하기를 원하면, 우리 주변의 세상은 못으로 가득 찬 것처럼 보이기 시작할지도 모른다!

어휘 interpret: 해석하다   stack: 쌓다   perception: 지각, 인식   stand out: 두드러지다, 눈에 띄다   quote: 인용문   phenomenon: 현상

1 ⓔ '~하는 것'의 의미로 명사절을 이끄는 관계대명사 what이 되어야 한다.

2 비유적인 표현으로, 우리가 원하는 특정한 방식으로 어떤 일을 하고 싶어 하는 것을 의미한다.
해석 ① 눈에 띄기를 꺼리다
② 우리의 노력을 무의미하게 하다
③ 특정한 방식으로 무언가를 하려고 하다
④ 다른 사람들이 우리와 비슷한 관점을 갖기를 바라다
⑤ 남에게 받아들여지는 사고방식을 가지다

3 ⑤ 등록은 3월 12일에 시작된다.
해석 2018 Eco-Adventure 캠프
Tennessee주의 숲을 탐험하세요! 모든 중학생과 고등학생을 환영합니다!
• 날짜: 3월 23일~25일 (2박 3일)
• 참가비: 1인당 150달러 (모든 식사가 포함됩니다.)
• 활동: 자연 교실, 하이킹과 등산, 그리고 보물 찾기
• 모든 참가자는 캠프 배낭을 받게 됩니다.
• 등록은 저희 웹 사이트에서 3월 12일에 시작하여 3월 16일에 끝납니다.
더 많은 정보를 원하시면 www.ecoadventure.com을 방문하세요.

어휘 explore: 탐험하다   meal: 식사   included: 포함된   participant: 참가자   receive: 받다   registration: 등록

[4-5] 해석 어느 날 나는 직장에 가려고 택시를 탔다. 내가 뒷좌석에 탔을 때, 바로 내 옆에 새로 출시된 휴대전화가 놓여 있는 것을 보았다. 나는 운전사에게 "바로 전에 탔던 사람을 어디에 내려 주었나요?"라고 물으며 전화기를 그에게 보여 주었다. 그는 길을 걸어가고 있는 젊은 여자를 가리켰다. 우리는 그녀에게로 가서, 나는 창문을 내리고 그녀에게 소리쳤다. 그녀는 매우 고마워했고 그녀의 얼굴 표정으로 나는 그녀가 얼마나 고마워하는지 알 수 있었다. 그녀의 미소는 나를 미소 짓게 만들었고 정말 좋은 기분이 들게 했다. 그녀가 전화기를 되찾은 후, 나는 그녀를 지나치던 어떤 사람이 "오늘 운이 좋은 날이군요!"라고 말하는 것을 들었다.

어휘 drop: 내려 주다   yell out: 소리치다

4 잃어버렸던 휴대전화를 찾았으므로 운이 좋은 날이라고 말하는 것이 적절하다.
[해석] ① 불행한 ②, ③ 끔찍한 ④ 안 좋은 ⑤ 행운의

5 택시에서 발견한 휴대전화를 주인에게 찾아주자 휴대전화 주인이 매우 고마워해서 기분이 아주 좋았다.
[해석] ① 화가 난 ② 지루한 ③ 무서워하는 ④ 기쁜 ⑤ 후회하는

6 (A) 지도자가 사람들의 의견을 들어주어야 한다는 내용에 비추어 볼 때, voice(소리 내어 말하다)가 적절하다. (B) 의견을 제시하지 말라는 말이 관리자를 낙담시켰음에 틀림없다는 내용에 비추어 볼 때, loss(상실)가 적절하다. (C) 자신을 중요한 사람으로 느끼는 상황임을 고려할 때, increase(증가하다)가 적절하다.
[해석] 지도자는 어떻게 사람들이 (자기가) 중요하다고 느끼게 하는가? 첫 번째로, 그들의 말을 듣는 것을 통해서이다. 여러분이 그들의 생각을 존중한다는 것을 알게 하고, 그들이 자신의 의견을 말하게 하라. 내 친구 중 한 명이 나에게 대기업의 최고 경영자에 대해 말해준 적이 있는데, 그는 자신이 거느리고 있는 관리자 중 한 명에게, "내가 당신에게 묻지 않으면 당신이 생각하는 것을 나에게 절대로 말하지 마세요. 내 말 알아듣겠어요?"라고 말했다고 한다. 그 관리자가 틀림없이 느꼈을 자존감의 상실을 상상해 보라. 그 일은 그를 낙담시켜서 그의 업무 수행에 부정적인 영향을 미쳤음에 틀림없다. 반면에 여러분이 누군가에게 (그 자신이) 아주 중요한 사람이라는 의식을 느끼게 하면, 그 사람은 의기양양해질 것이고 활력의 수준이 빠르게 증가할 것이다.
[어휘] respect: 존경하다, 존중하다   loss: 상실   self-esteem: 자존감, 자부심   discourage: 낙담시키다   negatively: 부정적으로   rapidly: 빠르게

6일 참미·융합·서술·코딩 테스트 **1**회 50~51쪽

A commercial – 상업의 / potential – 잠재력 /
contribution – 기여, 이바지 / suppose – 가정하다 /
generation – 세대 / effective – 효과적인

B "Go Green" Writing Contest

C Emily, urgent는 '급박한' 분위기를 나타내는 어휘이다.

D ③

B 환경 보호에 관한 글짓기 대회의 안내문이다.
[해석] "Go Green" 글짓기 대회
여러분의 재능을 나누라 & 환경을 보존하라   □ 주제: 환경을 지켜라

□ 글쓰기 부문: ·슬로건 ·시 ·에세이   □ 요구 사항: ·참가자: 고등학생 ·위 글쓰기 부문 중 하나에 참가하시오 (참가자 일 인당 한 작품)   □ 마감 기한: 2021년 7월 5일 ·apply@gogreen.com으로 작품을 보내시오.
[어휘] talent: 재능   conserve: 보존하다   requirement: 요구, 필요 조건   entry: 출품작

C Emily의 말 중 urgent의 의미가 틀렸다. '차분한'은 calm 등으로 표현할 수 있다.

D ③ 북미에서 관광업에 의해 직접적으로 만들어진 일자리의 수는 2017년에는 1천만 개에 미치지 못했다.
[해석] ① 5개 지역 중에 동북아시아는 2017년에 관광업에 의한 직접적 일자리 창출에서 3천 49만 개로 가장 높은 수치를 보여 주었다. ② 2016년에는 관광업이 직접적으로 제공했던 남아시아에서의 일자리 수가 5개 지역들 중에서 가장 많았지만, 2017년에는 두 번째로 높았다. ③ 북미에서 관광업에 의해 직접적으로 만들어진 일자리의 수는 2016년보다 2017년에 더 적었지만, 2017년에도 여전히 1천만 개를 초과했다.
[어휘] regioin: 지역, 지방   creation: 창출, 창조   contribute: 제공하다, 기부하다

6일 참미·융합·서술·코딩 테스트 **2**회 52~53쪽

A 1 ⓓ   2 ⓒ   3 ⓐ   4 ⓔ   5 ⓑ
B ③
C Jason
D 1 ⓔ   2 ⓒ   3 ⓐ   4 ⓓ   5 ⓑ   6 ⓓ   7 ⓐ

A [해석] 1 혼합물에 요소로서 들어가는 것 – ⓓ 재료
2 중요한 그리고 주목할 가치가 있는 – ⓒ 의미가 있는, 중요한
3 더 높은 수준으로 높이다; 강화하다; 확대하다 – ⓐ 향상시키다
4 사람이나 사물이 여행하거나 보내지는 장소 – ⓔ 목적지
5 인간의 기술로 만든 – ⓑ 인공적인

B ③ 결과에 원인이 되는 일련의 사건들 중에 어느 하나라도 발생하지 않았었다면, 결과는 유사한 것이 아니라 '다를' 것이다. different 등으로 바뀌어야 한다.
[해석] 사람들은 선천적으로 사건의 원인을 찾는 즉, 설명과 이야기를 구성하려는 경향이 있다. 우리는 사건에 원인을 귀착시키고 이러한 원인과 결과 쌍이 이치에 맞는 한, 그것을 미래의 사건을 이해하는 데 사용한다. 하지만 이러한 인과관계의 귀착은 종종 잘못되기도 한다. 때때로 그것은 잘못된 원인을 연관시키기도 하고 발생하는 어떤 일에

대해서는 단 하나의 원인만 있지 않기도 하다. 오히려 그 결과에 모두가 원인이 되는 복잡한 일련의 사건들이 있다. 만일 사건들 중에 어느 하나라도 발생하지 않았었다면, 결과는 유사할(→ 다를) 것이다.

어휘 innately: 선천적으로 be incline to: ~하려는 경향이 있다 explanation: 설명 attribute: (~을 …의) 결과로 보다 implicate: 연관시키다 contribute: 한 원인이 되다 occur: 일어나다, 생기다

C 소비자들이 알고 싶어 하는 모든 것을 인터넷을 통해 알 수 있게 되었으므로 회사는 소비자에게 더 이상 비밀로 할 수 없다는 의미이다.

해석 인터넷의 등장으로 모든 것이 변했다. 제품 문제, 과잉 약속, 고객 지원 부족, 가격 차등과 같은 소비자들이 마케팅 조직으로부터 실제로 경험했던 모든 문제가 갑자기 상자 밖으로 튀어나왔다. 통제된 의사소통이나 사업 체계조차 더 이상 존재하지 않았다. 소비자들은 한 회사와 그곳의 제품, 경쟁사, 유통 체계, 그리고 무엇보다도 그 회사의 제품과 서비스에 관해 이야기할 때의 진정성에 대해 그들이 알고 싶어 하는 것은 무엇이든 인터넷을 통해 보통 알 수 있었다.

어휘 customer: 고객, 손님 competitor: 경쟁자 distribution system: 유통 체계 truthfulness: 진정성, 정직함

D 1 concerned: 걱정하는, 염려하는
2 annoyed: 짜증이 난
3 surprised: 놀란
4 nervous: 불안해[초조해] 하는
5 amused: 즐거워 하는
6 uneasy: 불안한
7 amazed: 놀란

7일 학교 시험 기본 테스트 1회   54~57쪽

1 ③ 2 ② 3 ⑤ 4 ① 5 ③ 6 ④ 7 ③ 8 ⑤
9 ④ 10 ⑤ 11 (A) individual (B) less 12 ①

[1-2] 해석 가게를 떠난 뒤, 나는 내 차로 돌아와 차안에 차 열쇠와 휴대전화를 넣고 잠갔다는 것을 알게 됐다. 자전거를 탄 십 대 한 명이 내가 절망에 빠져 타이어를 차는 것을 보았다. "무슨 일이죠?"라고 그는 물었다. 나는 내 상황을 설명했다. "내가 남편에게 전화할 수 있다고 해도 이것이 우리의 유일한 차이기 때문에 그는 나에게 그의 차 열쇠를 가져다 줄 수 없어요."라고 나는 말했다. 그는 그의 휴대전화를 나에게 건네주었다. 그 사려 깊은 소년은 말했다. "남편에게 전화해서 그(남편)의 차 열쇠를 제가 가지러 간다고 말하세요." "진심이에요? 왕복 4마일 거리예요." "걱정하지 마세요." 한 시간 후, 그는 열쇠를 가지고 돌아왔다. 나는 그에게 약간의 돈을 주려 했지만, 그는 거절했다. "그냥 내가 운동이 필요했다고 하죠."라고 그는 말했다.

어휘 vehicle: 차량, 탈것 frustration: 좌절감, 불만 offer: 제의하다, 권하다 refuse: 거절하다

1 ⓒ는 여자의 남편을 가리키고, 나머지는 모두 친절한 십 대 소년을 가리킨다.

2 ② 여자는 휴대전화를 차 안에 넣고 문을 잠갔다.

3 ⑤ 영국은 9.8%이고, 그리스는 7.8%이므로 2 포인트 차이가 있다.

해석 위 그래프는 선택된 OECD 국가들의 2018년 건강 관련 지출을 GDP 점유율로 보여 준다. ① 평균적으로 OECD 국가들은 GDP의 8.8%를 건강 관리에 지출한 것으로 추정되었다. ② 위 국가들 중 미국은 GDP의 16.9%로 가장 높은 점유율을 보였고, 이어 스위스는 12.2%를 보였다. ③ 프랑스는 GDP의 11% 이상을 지출했던 반면, 터키는 GDP의 5% 이하를 건강 관리에 지출했다. ④ GDP 점유율로서 벨기에의 건강 관련 지출은 프랑스와 영국 사이였다. ⑤ 영국과 그리스 사이의 건강 관리에 지출된 GDP의 점유율에는 3 포인트(→ 2 포인트) 차이가 있었다.

어휘 share: 점유율 average: 평균 estimate: 추정하다

[4-5] 해석 나의 아버지는 음악가로 매우 늦게까지 일했고, 그래서 아버지는 주말마다 늦잠을 주무셨다. 그 결과, 아버지가 잔디 깎기와 울타리 덤불 자르기처럼 내가 싫어했던 허드렛일을 돌보라고 계속 나에게 잔소리한 것을 제외하고는 내가 어렸을 때 우리는 많은 관계를 가지지 못했다. 그는 무책임한 아이를 다루는 책임감 있는 사람이었다. 우리가 소통했던 방식에 대한 기억들이 현재 나에게는 우스워 보인다. 예를 들어, 한번은 아버지가 나에게 잔디를 깎으라고 말했고, 나는 앞뜰만 하기로 하고 뒤뜰 하는 것은 미루기로 결심했으나, 그러고 나서 며칠 동안 비가 내렸고 뒤뜰의 잔디가 너무 길게 자라서 나는 그것을 낫으로 베어내야만 했다. 그 일은 너무 오래 걸려서 내가 끝냈을 때쯤에는 앞뜰의 잔디가 깎기에 너무 길었고, 그런 일이 계속되었다.

어휘 constantly: 끊임없이 nag: 잔소리를 하다 chores: 허드렛일 mow: (잔디를) 깎다 lawn: 잔디 hedge: 울타리 덤불 interact: 소통하다 postpone: 연기하다, 미루다

4 아버지가 주말마다 늦잠을 잔 결과에 대한 내용이 이어지고 있다.
해석 ① 그 결과 ② 하지만 ③ 게다가 ④ 예를 들면 ⑤ 반면에

5 ⓒ 주어(Memories ~)가 복수이므로 seems를 seem으로 고쳐야 한다.

6 ④ 사제가 된 후 스페인으로 돌아왔다.

[해석] 16세기 스페인의 위대한 작곡가 Tomas Luis de Victoria는 Avila에서 태어나 소년 시절 교회 합창단에서 노래했다. 변성기가 됐을 때 공부를 위해 로마로 가서, 다양한 교회와 종교 기관에서 직책을 맡으며, 약 20년 동안 그 도시에 머물렀다. 로마에서 그는 유명한 이탈리아 작곡가인 Palestrina를 만났는데, 심지어 그의 제자였을지도 모른다. 사제가 되고난 후, 1580년대에 스페인으로 돌아와 왕가의 작곡가이자 오르간 연주자로 마드리드에서 평화롭게 여생을 보냈다. 그는 1611년에 사망했으나, 무덤은 아직 확인되지 않았다.

[어휘] composer: 작곡가   choir: 합창단   one's voice breaks: 변성기가 되다   remain: 남다   pupil: 제자   tomb: 무덤

[7-8] [해석] 어느 날, Cindy는 카페에서 우연히 유명한 화가 옆에 앉게 되었고, 그녀는 직접 그를 만나게 되어 감격했다. 그는 커피를 마시면서 사용하던 냅킨에 그림을 그리고 있었다. 그녀는 경외심을 가지고 지켜보고 있었다. 잠시 후에, 그 남자는 커피를 다 마시고 나서 자리를 뜨면서 그 냅킨을 버리려고 했다. Cindy는 그를 멈춰 세웠다. "당신이 그림을 그렸던 냅킨을 가져도 될까요"라고 그녀가 물었다. "물론이죠."라고 그가 대답했다. "2만 달러입니다." 그녀는 눈을 동그랗게 뜨고 말했다. "뭐라구요? 그리는 데 2분밖에 안 걸렸잖아요." "아니요."라고 그가 말했다. "나는 이것을 그리는 데 60년 넘게 걸렸어요." 그녀는 어쩔 줄 몰라 꼼짝 못한 채 서 있었다.

[어휘] awe: 경외심   at a loss: 어쩔 줄 몰라하는   rooted: (그 자리에 뿌리 박힌 듯) 움직이지 못하는

7 카페에서 유명한 화가 옆에 앉게 되어 감격했다가 그 화가가 냅킨에 그린 그림의 가격을 너무 비싸게 말해 놀랐다.

[해석] ① 안도하는 → 걱정하는 ② 무관심한 → 당황한 ③ 신이 난 → 놀란 ④ 실망한 → 만족한 ⑤ 질투하는 → 자신감 있는

8 ⑤ 화가가 실제로 그림을 그린 시간은 2분이지만, 유명한 화가가 되기 위해 60년 넘게 노력했다는 의미로 그렇게 말한 것이다.

9 사용 가능한 휴대전화를 배터리가 더 이상 생산되지 않는다는 이유로 사용하지 못하고 새것으로 바꿔야 하는 것을 말한다.

[해석] 오늘날 미국에서 사용되는 휴대전화가 7억 개가 넘고 이 휴대전화 사용자들 중 적어도 1억 4천만 명은 새 휴대전화를 위해 14~18개월마다 그들의 현재 휴대전화를 버릴 것이다. 사실 나는 배터리가 더 이상 충전이 잘 되지 않을 때까지 내 휴대전화를 사용한다. 그때라면 때가 된 것이다. 그래서 나는 그저 교체용 배터리를 사야겠다고 생각한다. 그러나 나는 그 배터리가 더 이상 만들어지지 않고, 최신 휴대전화에 더 새로운 기술과 더 나은 기능들이 있기 때문에 그 휴대전화는 더 이상 제조되지 않는다고 듣게 된다. 그것이 전형적인 정당화이다. 나는 단지 한 사례일 뿐이다. 얼마나 수많은 다른 사람들

이 이와 똑같은 시나리오를 갖는지 당신은 상상할 수 있는가?
① 프로그램을 업데이트하는 데 자주 어려움을 겪다
② 비용 때문에 새로운 기술을 살 여유가 없다
③ 그들의 휴대전화를 수리하는 데 많은 돈을 쓴다
④ 여전히 사용할 수 있는 휴대전화를 바꿔야 한다
⑤ 새로 출시된 전화기 모델에 실망한다

[어휘] charge: 충전   replacement: 교체   feature: 기능   justification: 정당화   frequent: 빈번한   launch: 출시하다

[10-11] [해석] 학교 과제는 전형적으로 학생들이 혼자 하도록 요구해 왔다. 이러한 개별 생산성의 강조는 독립성이 성공의 필수 요인이라는 의견을 반영했던 것이다. 타인에게 의존하지 않고 자신을 관리하는 능력을 가지는 것이 모든 사람에게 요구되는 것으로 간주되었다. 따라서, 과거의 교사들은 모둠 활동이나 학생들이 팀워크 기술을 배우는 것을 덜 권장했다. 그러나 뉴 밀레니엄 시대 이후, 기업들은 향상된 생산성을 요구하는 더 많은 국제적 경쟁을 경험하고 있다. 이러한 상황은 고용주들로 하여금 노동 시장의 초입자들이 전통적인 독립성뿐만 아니라 팀워크 기술을 통해 보여지는 상호 의존성도 입증해야 한다고 요구하도록 만들었다.

[어휘] assignment: 과제   emphasis: 강조   reflect: 반영하다   independence: 독립성   consequently: 따라서   arrange: 마련하다   encourage: 권하다, 격려하다   insist: 주장하다   evidence: 증거

10 ⓔ '팀워크 기술을 통해 보여지는'의 의미이므로 수동의 의미를 나타내는 과거분사 shown으로 고쳐야 한다.

11 과거의 학교 과제는 학생들이 혼자 하는 (A) 개별(individual) 생산성을 강조하였기 때문에 모둠 활동이나 팀워크 기술을 배우는 것이 (B) 덜(less) 권장되었다.

12 온라인에서 웃음 이모티콘은 경력에 상당한 손상을 입힐 수 있다고 했으므로, 무능력해 보이게 만든다는 내용이 적절하다.

[해석] 누군가를 직접 만났을 때, 신체 언어 전문가들은 미소 짓는 것이 자신감과 친밀감을 드러낼 수 있다고 말한다. 그러나 온라인에서 웃음 이모티콘은 당신의 경력에 상당한 손상을 입힐 수 있다. 새로운 연구에서 연구자들은 웃음 이모티콘을 사용하는 것이 당신을 무능력해 보이게 만든다는 것을 알아냈다. 그 연구는 "실제 미소와 달리, 웃음 이모티콘은 친밀감에 대한 인식을 증진시키지 않고, 실제로 능력에 대한 인식을 감소시킨다."라고 한다. 그 보고서는 또한 "능력이 낮다고 인식되는 것이 그 결과 정보 공유를 감소시켰다."라고 설명한다. 만약에 당신이 업무상의 이메일에 웃음 이모티콘을 포함시키고 있다면, 당신이 가장 바라지 않을 만한 일은 동료들이 당신이 너무 적합하지 않아 정보 공유를 하지 않아야겠다고 생각하는 상황일 것이다.

① 당신을 무능력해 보이게 만든다
② 세대 간 갈등을 일으킨다
③ 메시지의 의도를 명확히 한다
④ 필기 시험에서 낮은 점수를 초래한다
⑤ 일상적인 작업 환경을 만드는 데 도움이 된다

어휘 portray: 나타내다 confidence: 자신감 perception: 인식 competence: 능력 inadequate: 적합하지 않은

7일 학교 시험 기본 테스트 2회   58~61쪽

1 ④ **2** ① **3** ④ **4** ⑤ **5** (A) creating (B) tension
6 ③ **7** choice **8** ⑤ **9** ⑤ **10** ① **11** ④ **12** ⑤

[1-2] 해석 한번은 내가 Cassil 할아버지 농장에 있었는데 그때 그는 새 비글 강아지 한 마리를 데리러 가려던 참이었다. 내 사촌과 나는 할아버지와 함께 그 강아지를 데리러 갔고, 집으로 돌아오는 길에 우리는 그를 뭐라고 이름 지을지에 대해 이야기하기 시작했다. 우리는 그 강아지를 Blaze라고 이름을 부르기로 정했다. Blaze와 나는 자라면서 좋은 친구가 되었다. 나는 Blaze를 보고 그와 농장 주변에서 뛰어놀기 위해 매주 할아버지 댁에 가기를 기대했다. 하지만 어느 일요일 우리가 할아버지 댁에 갔는데, 그가 사라졌다. 할아버지는 자신의 친구가 그 강아지를 좋아해서, 그가 강아지를 줘버렸다고 말씀하셨다. 나는 Blaze를 다시 보지 못했고, 그를 많이 그리워했다.

어휘 look forward to -ing: ~를 기대하다 miss: 그리워하다

1 ⓓ는 할아버지를 가리키고, 나머지는 모두 강아지 Blaze를 가리킨다.

2 할아버지 농장에서 기르는 강아지 Blaze와 친구가 되어 기뻤다가, 어느 날 할아버지가 Blaze를 친구에게 줘버려서 다시 만나지 못하게 되어 슬펐다.

해석 ① 기쁜 → 슬픈 ② 놀란 → 화가 난 ③ 초조한 → 지루한 ④ 실망한 → 기쁜 ⑤ 즐거워 하는 → 걱정하는

3 ④ 미국이 획득한 동메달 수는 독일이 획득한 동메달 수의 두 배보다 많았다.

해석 위 그래프는 국제 올림픽 위원회(IOC)의 메달 집계를 바탕으로 2016년 하계 올림픽 동안 상위 5개 국가들이 획득한 메달의 수를 보여 주고 있다. ① 5개 국가들 중 미국이 약 120개로 가장 많은 메달을 획득하였다. ② 금메달의 경우 영국이 중국보다 더 많이 획득하였다. ③ 중국, 러시아, 독일은 각각 20개 미만의 은메달을 획득하였다. ④ 미국이 획득한 동메달 수는 독일이 획득한 동메달 수의 두 배보다 적었다(→ 많았다). ⑤ 상위 5개 국가는 총 40개 이상의 메달을 각각 획

득하였다.

어휘 when it comes to: ~의 경우, ~에 관한 한

[4-5] 해석 사회적 관계는 우리의 생존과 행복을 위해 매우 필수적이어서 우리는 관계를 형성하기 위해 다른 사람과 협력할 뿐만 아니라, 친구를 얻기 위해 다른 사람과 경쟁하기도 한다. 가십을 생각해 보자. 가십을 통해 우리는 친구들과 흥미로운 세부사항을 공유하면서 유대를 형성한다. 그러나 동시에 우리는 가십의 대상들 중에서 잠재적인 적을 만들어낸다. 또는 누가 '그들의' 파티에 참석할 것인지를 알아보기 위해 경쟁하는 라이벌 관계의 휴일 파티를 생각해 보라. 우리는 심지어 소셜 미디어에서도 사람들이 가장 많은 친구들과 팔로워들을 얻기 위해 경쟁할 때 이러한 긴장감을 볼 수 있다.

어휘 connection: 관계 essential: 필수의 cooperate: 협력하다 compete: 경쟁하다 potential: 잠재적인

4 ⓔ 선행사(parties)가 장소이므로 관계부사 where을 써야 한다.

5 우리는 가십을 통해 유대를 형성하는 동시에 가십의 대상들 중에서 잠재적인 적을 (A) 만들어내며(creating), 소셜 미디어에서도 사람들이 서로 경쟁할 때 (B) 긴장감(tension)을 볼 수 있다.

6 상점의 뒷벽에 사람들이 사고 싶어 하는 것을 배치하는 것은 사람들이 매장 전체를 돌아보게 하기 위해서이다.

해석 상점 안에서 벽은 매장의 뒤쪽을 나타내지만, 마케팅의 끝을 나타내지는 않는다. 상품 판매업자는 종종 뒷벽을 자석[사람을 끄는 것]으로 사용하는데, 이것은 사람들이 매장 전체를 걸어야 한다는 것을 의미하기 때문이다. 이것은 좋은 일인데, 측정 가능한 다른 어떤 소비자 변수보다 이동 거리가 방문 고객당 판매량과 더 직접적으로 관련되어 있기 때문이다. 때로는 벽에서 사람의 관심을 끄는 것은 정말로 감각에 호소하는 것인데, 시선을 끄는 벽의 장식물이나 귀를 기울이게 하는 소리가 그것에 해당한다. 때로는 사람의 관심을 끄는 것이 특정 상품이기도 하다. 슈퍼마켓에서 유제품은 흔히 뒤편에 위치하는데, 사람들이 자주 우유만 사러 오기 때문이다. 비디오 대여점에서는 그것이 새로 출시된 비디오이다.
① 그 매장이 실제보다 더 커 보인다
② 더 많은 제품이 그곳에 보관될 수 있다
③ 사람들이 매장 전체를 걸어야 한다
④ 그 상점은 고객에게 문화 행사를 제공한다
⑤ 사람들이 상점에서 너무 많은 시간을 보낼 필요가 없다

어휘 mark: 나타내다, 표시하다 magnet: 자석[사람을 끄는 것] measurable: 측정 가능한 attraction: 사람의 관심을 끄는 것 appealing to: ~에 호소하는 specific: 특정한 dairy: 유제품 release: 출시[발매](물)

[7-8] 해석 여러분의 선택이 다른 사람들의 선택에 영향을 미칠지를 결정하는 중요한 한 요인이 있는데, 바로 그 선택의 가시적 결과들이다. Adélie 펭귄들의 사례를 들어보자. 한 예로, 식사로 펭귄들을 먹는 것을 좋아하는 표범물개가 있다. Adélie 펭귄은 무엇을 할까? 펭귄의 해결책은 대기 전술을 펼치는 것이다. 그들은 자기들 중 한 마리가 포기하고 뛰어들 때까지 물가에서 기다리고, 기다리고 또 기다린다. 만약 그 선두 주자가 살아남으면, 다른 모두가 그대로 따를 것이다. 만약 그것이 죽는다면, 그들은 돌아설 것이다. 여러분은 그들의 전략이 '배워서 산다'라고 말할 수 있다.

어휘 critical: 중요한   determine: 결정하다   influence: ~에게 영향을 미치다   consequence: 결과   pioneer: 선두 주자, 개척자   strategy: 전략

7 that은 어구의 반복을 피하기 위해 쓰인 것으로, 앞에 나온 choice를 가리킨다.

8 물속에 뛰어든 한 펭귄이 안전한 것을 확인한 후에 다른 펭귄들이 그대로 따라 하는 것을 나타내는 표현이다.

해석 ① 안전을 위해 경쟁자의 영토를 점령한다
② 적의 정체를 알고 먼저 공격한다
③ 다음 세대와 생존 기술을 공유한다
④ 최상의 결과를 위해 지도자의 결정을 지지한다
⑤ 안전하다고 판명된 경우에만 다른 사람의 행동을 따른다

9 이사로 인해 정든 곳을 떠나고 친구들과 헤어지게 되어 슬프고, 새로운 학교에 대한 두려움으로 걱정하고 있다.

해석 11세 소녀 Clara는 창문을 내린 채 자신의 어머니 차의 뒷좌석에 앉았다. 바깥으로부터의 바람이 그녀의 상아색의 창백한 피부에 갈색 머리카락을 흩날렸다. 그녀가 한숨을 깊이 쉬었다. 그녀는 이사하는 것에 대해 슬퍼했고 웃고 있지 않았다. 그녀의 마음이 아픈 것 같았다. 그녀가 알고 있었던 모든 것을 떠나야 한다는 사실이 그녀의 마음을 아프게 했다. 11년, 그것은 한곳에 머물며 추억을 쌓고 친구를 사귄 긴 시간이었다. 그녀는 자신의 친구들과 함께 학년을 마칠 수 있었고, 그것이 좋았는데, 여름 전체와 다가올 학년을 홀로 마주할 것을 그녀는 두려워했다. Clara는 한숨을 크게 쉬었다.
① 차분하고 느긋한 ② 질투 나고 짜증이 난 ③ 신이 나고 기쁜 ④ 지루하고 무관심한 ⑤ 슬프고 걱정하는

어휘 pale: 창백한   sigh: 한숨 쉬다

[10-11] 해석 가상의 아이디어 교환
실시간으로 접속하여 다가오는 학교 축제에 관해 토론하시오.
□ 목표 ·학교 축제를 계획하고 아이디어를 공유하시오.
□ 참가자: 동아리장만
□ 토론 내용 ·주제 ·티켓 판매 ·예산

□ 날짜와 시간: 2021년 6월 25일 금요일 오후 5시~7시
□ 참고사항 ·회의 10분 전에 문자 메시지로 전송되는 접속 링크를 받아서 클릭하시오. ·채팅방에 들어올 때 실명을 입력하시오.

어휘 virtual: 가상의   connect: 접속하다, 연결하다   discussion: 토론   budget: 예산   access: 접근, 접속

10 '주제, 티켓 판매, 예산'은 토론할 내용이다.
해석 ① 토론 내용 ② 토론 날짜 ③ 토론 방법 ④ 토론하는 이유 ⑤ 토론할 사람

11 동아리장만 참여 가능하고, 티켓 판매는 토론 대상에 포함된다. 회의는 2시간 동안 열리고, 채팅방 입장 시 실명으로 참여해야 한다.

12 ⑤ 주어(the skin ~)가 단수이므로 are를 is로 고쳐야 한다.
해석 당신이 미소를 관찰했는데 그것이 진짜가 아니라고 느낄 수 있는 경우가 있었다. 진짜 미소와 진실하지 못한 미소를 알아보는 가장 명확한 방법은 가짜 미소는 주로 입에만, 얼굴의 절반 아래쪽 부분에만 주로 영향을 미친다는 것이다. 눈은 실제 관련이 없다. 거울을 볼 기회를 잡아서 당신의 얼굴 절반 아래쪽 부분만 사용하여 미소를 지어봐라. 당신이 이렇게 할 때, 당신의 얼굴이 실제로 얼마나 행복해 보이는지를 판단해 봐라. 그것은 진짜인가? 진짜 미소는 눈가 근육과 주름에 영향을 주며, 티가 덜 나게 눈썹과 윗눈꺼풀 사이의 피부가 진정한 즐거움으로 살짝 내려오는 것이다. 진짜 미소는 얼굴 전체에 영향을 줄 수 있다.

어휘 genuine: 진짜의   primarily: 주로   involved: 관련이 있는   manufacture: 짓다, 제조하다   noticeably: 눈에 띄게   slightly: 살짝, 약간

Word Puzzle

62쪽

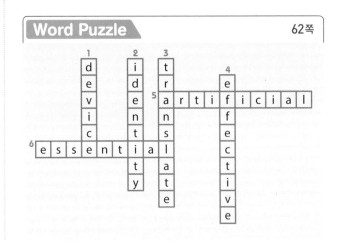

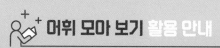

1일

☐ accept 받아들이다

☐ ancestral 선조의

☐ anxious 불안한

☐ commercial 상업의

☐ completely 완전히

☐ conscious 알고 있는, 의식하는

☐ destination 목적지

☐ determine 결정하다, 알아내다

☐ disastrous 처참한

☐ economy 경제, 경기

☐ effective 효과적인

☐ expand 확장시키다

☐ fundamental 근본적인

☐ generation 세대

☐ harmful 해로운

☐ heal 치유하다

☐ humid 습한

☐ intuitive 직관에 의한

☐ lean (몸을) 기울이다

☐ literally 말 그대로

☐ passenger 승객

☐ shift 옮기다, 이동시키다

☐ specific 구체적인

☐ successive 잇따른

☐ suppose 가정하다

☐ vital 필수적인

2일

☐ acquire 습득하다

☐ afterward 그 후에

☐ announce 발표하다, 알리다

☐ citizenship 시민권

☐ claim 주장하다

☐ competition 시합, 경쟁

☐ critic 비평가, 평론가

☐ distress 곤경, 고통

☐ editor 편집자

☐ entrance 입학, 입장, 출입구

☐ escape 달아나다, 탈출하다

☐ exhibit 보이다, 드러내다

☐ honor 표창, 명예

☐ identity 정체성

☐ literature 문학

☐ occupation 점령

☐ promote 승진시키다

☐ recognition 인정

☐ represent 대변하다, 나타내다

☐ sprain (손목·발목 등을) 삐다

☐ starve 굶주리다

☐ suspect 의심하다

☐ ultimately 결국에는

☐ **whisper** 속삭이다

☐ **ahead of** ～ 앞에

☐ **to no avail** 헛되이, 소용없이

3일

☐ **assess** 접근하다, 접속하다

☐ **accompany** 동반하다

☐ **category** 부문

☐ **certificate** 증명서

☐ **consider** 여기다, 생각하다

☐ **creativity** 창의력, 창조성

☐ **deadline** 마감

☐ **device** 기기, 장치

☐ **entry** 참가 (신청)

☐ **experience** 경험

☐ **follow** ～의 뒤를 잇다

☐ **goat** 염소

☐ **hands-on** 직접 해 보는, 실제 체험하는

☐ **include** 포함하다

☐ **kindergarten** 유치원

☐ **maximum** 최고, 최대

☐ **overtake** 추월하다

☐ **participation** 참가, 참여

☐ **period** 기간

☐ **pick** 따다, 줍다

☐ **rank** 순위를 차지하다

☐ **register** 등록하다

☐ **select** 선택하다

☐ **connect to** ～와 접속[연락]하다

☐ **regardless of** ～에 관계없이

☐ **sign up** 등록하다

4일

☐ **admire** 감탄하다

☐ **analysis** 분석

☐ **argument** 논쟁

☐ **attentive** 주의 깊은

☐ **blinded** 눈이 먼

☐ **deficiency** 결핍, 부족

☐ **doubtful** 의문의 여지가 있는

☐ **exhausted** 기진맥진한

☐ **forcibly** 강제적으로, 강력하게

☐ **grief** 큰 슬픔, 비탄

☐ **impress** 좋은 인상을 주다

☐ **indeed** 정말로

☐ **indifferent** 무관심한

☐ **intentionally** 의도적으로

☐ **pray** 기도하다

☐ **reaction** 반응

☐ **reckless** 무모한

- [ ] **remove** 벗다, 제거하다
- [ ] **significant** 의미가 있는, 중요한
- [ ] **sink** 가라앉다
- [ ] **surface** 표면, 외부
- [ ] **trait** 특성
- [ ] **translate** 바꾸다, 번역하다, 고치다
- [ ] **tremble** 떨리다, 흔들리다
- [ ] **virtual** 가상의
- [ ] **virtue** 미덕

5일

- [ ] **appearance** 외관, 모습
- [ ] **artificial** 인공적인
- [ ] **assessment** 평가
- [ ] **complex** 복잡한
- [ ] **constantly** 끊임없이

- [ ] **efficient** 효율적인
- [ ] **enhance** 향상시키다
- [ ] **eventually** 결국
- [ ] **expert** 전문가
- [ ] **explore** 탐구하다, 탐험하다
- [ ] **fundamental** 기본적인, 중요한
- [ ] **identify** 알아보다, 확인하다
- [ ] **ingredient** 재료
- [ ] **instruction** 가르침, 지도
- [ ] **marvelously** 놀랍게도
- [ ] **method** 방법
- [ ] **organ** 기관, 장기
- [ ] **perceive** 인식하다, 여기다
- [ ] **potential** 잠재력
- [ ] **prove** 증명하다
- [ ] **relevant** 유의미한, 관련된
- [ ] **resist** 저항하다
- [ ] **reveal** 드러내 보이다
- [ ] **struggle** 힘든 일, 투쟁

- [ ] **theory** 이론, 학설
- [ ] **universe** 우주

6일

- [ ] **compacted** 꽉 찬, 탄탄한
- [ ] **conserve** 보존하다
- [ ] **contribute** 제공하다, 기부하다
- [ ] **creation** 창출, 창조
- [ ] **implicate** 연관시키다
- [ ] **innately** 선천적으로
- [ ] **interpret** 해석하다
- [ ] **nod** 끄덕이다
- [ ] **occur** 일어나다, 생기다
- [ ] **perception** 지각, 인식
- [ ] **phenomenon** 현상
- [ ] **quote** 인용문
- [ ] **region** 지역, 지방

☐ registration 등록

☐ requirement 요구, 필요 조건

☐ resemble 닮다

☐ resolution 결심, 다짐

☐ stack 쌓다

☐ stare 빤히 쳐다보다

☐ stem 줄기

☐ talent 재능

☐ truthfulness 진정성, 정직함

☐ be incline to ～하려는 경향이 있다

☐ figure out 이해하다, 생각해 내다

☐ on account of ～ 때문에

☐ stand out 두드러지다, 눈에 띄다

7일

☐ average 평균

☐ budget 예산

☐ choir 합창단

☐ competence 능력

☐ composer 작곡가

☐ consequently 따라서

☐ constantly 끊임없이

☐ emphasis 강조

☐ essential 필수의

☐ estimate 추정하다

☐ feature 기능

☐ frustration 좌절감, 불만

☐ insist 주장하다

☐ interact 상호 작용하다

☐ justification 정당화

☐ manufacture 짓다, 제조하다

☐ measurable 측정 가능한

☐ perception 인식

☐ pioneer 선두 주자, 개척자

☐ postpone 연기하다, 미루다

☐ potential 잠재적인

☐ pupil 제자

☐ refuse 거절하다

☐ replacement 교체

☐ sigh 한숨 쉬다

☐ appealing to ～에 호소하는

1일 영어는 우리말로, 우리말은 영어로 쓰세요.

01	literally	21	승객
02	ancestral	22	근본적인
03	specific	23	받아들이다
04	conscious	24	(몸을) 기울이다
05	destination	25	상업의
06	suppose	26	완전히
07	disastrous	27	확장시키다
08	effective	28	필수적인
09	intuitive	29	목적지
10	fundamental	30	구체적인
11	generation	31	결정하다, 알아내다
12	passenger	32	경제, 경기
13	humid	33	해로운
14	vital	34	치유하다
15	expand	35	알고 있는, 의식하는
16	accept	36	불안한
17	shift	37	가정하다
18	commercial	38	세대
19	successive	39	습한
20	determine	40	효과적인

2일 영어는 우리말로, 우리말은 영어로 쓰세요.

01 starve _____

02 afterward _____

03 announce _____

04 recognition _____

05 competition _____

06 ultimately _____

07 editor _____

08 literature _____

09 entrance _____

10 identity _____

11 exhibit _____

12 escape _____

13 whisper _____

14 distress _____

15 promote _____

16 claim _____

17 acquire _____

18 suspect _____

19 critic _____

20 to no avail _____

21 습득하다 _____

22 의심하다 _____

23 시민권 _____

24 주장하다 _____

25 정체성 _____

26 곤경, 고통 _____

27 (손목 · 발목 등을) 삐다 _____

28 달아나다, 탈출하다 _____

29 표창, 명예 _____

30 문학 _____

31 점령 _____

32 승진시키다 _____

33 인정 _____

34 시합, 경쟁 _____

35 대변하다, 나타내다 _____

36 입학, 입장, 출입구 _____

37 굶주리다 _____

38 발표하다, 알리다 _____

39 속삭이다 _____

40 ~ 앞에 _____

3일 영어는 우리말로, 우리말은 영어로 쓰세요.

01	participation	21	접근하다, 접속하다
02	accompany	22	선택하다
03	maximum	23	증명서
04	certificate	24	여기다, 생각하다
05	register	25	창의력, 창조성
06	deadline	26	추월하다
07	period	27	기기, 장치
08	entry	28	경험
09	rank	29	염소
10	hands-on	30	유치원
11	include	31	최고, 최대
12	category	32	기간
13	overtake	33	따다, 줍다
14	assess	34	순위를 차지하다
15	device	35	등록하다
16	follow	36	동반하다
17	consider	37	참가, 참여
18	select	38	참가 (신청)
19	sign up	39	마감
20	regardless of	40	~와 접속[연락]하다

4일 영어는 우리말로, 우리말은 영어로 쓰세요.

01	pray	21	의도적으로
02	admire	22	무모한
03	significant	23	미덕
04	analysis	24	주의 깊은
05	translate	25	떨리다, 흔들리다
06	deficiency	26	표면, 외부
07	trait	27	의문의 여지가 있는
08	grief	28	기진맥진한
09	impress	29	강제적으로, 강력하게
10	virtual	30	큰 슬픔, 비탄
11	intentionally	31	반응
12	remove	32	분석
13	reckless	33	의미가 있는, 중요한
14	indifferent	34	가라앉다
15	surface	35	결핍, 부족
16	exhausted	36	바꾸다, 번역하다, 고치다
17	attentive	37	눈이 먼
18	tremble	38	가상의
19	indeed	39	좋은 인상을 주다
20	virtue	40	논쟁

5일 영어는 우리말로, 우리말은 영어로 쓰세요.

01 ingredient _____

02 artificial _____

03 potential _____

04 constantly _____

05 efficient _____

06 theory _____

07 eventually _____

08 resist _____

09 fundamental _____

10 identify _____

11 appearance _____

12 instruction _____

13 perceive _____

14 complex _____

15 prove _____

16 relevant _____

17 explore _____

18 reveal _____

19 enhance _____

20 universe _____

21 탐구하다, 탐험하다 _____

22 증명하다 _____

23 인식하다, 여기다 _____

24 외관, 모습 _____

25 드러내 보이다 _____

26 평가 _____

27 복잡한 _____

28 유의미한, 관련된 _____

29 힘든 일, 투쟁 _____

30 전문가 _____

31 재료 _____

32 놀랍게도 _____

33 방법 _____

34 기관, 장기 _____

35 잠재력 _____

36 끊임없이 _____

37 저항하다 _____

38 인공적인 _____

39 효율적인 _____

40 이론, 학설 _____

6일 영어는 우리말로, 우리말은 영어로 쓰세요.

01	conserve	21	빤히 쳐다보다
02	resemble	22	요구, 필요 조건
03	stem	23	쌓다
04	registration	24	인용문
05	interpret	25	재능
06	occur	26	제공하다, 기부하다
07	perception	27	창출, 창조
08	quote	28	출품작
09	region	29	연관시키다
10	innately	30	결심, 다짐
11	requirement	31	끄덕이다
12	contribute	32	현상
13	resolution	33	등록
14	stack	34	닮다
15	implicate	35	해석하다
16	talent	36	꽉 찬, 탄탄한
17	truthfulness	37	보존하다
18	stare	38	지각, 인식
19	be incline to	39	두드러지다, 눈에 띄다
20	on account of	40	이해하다, 생각해 내다

어휘 테스트

7일 영어는 우리말로, 우리말은 영어로 쓰세요.

01	budget	_____	21	상호 작용하다	_____
02	pioneer	_____	22	평균	_____
03	choir	_____	23	인식	_____
04	manufacture	_____	24	작곡가	_____
05	emphasis	_____	25	거절하다	_____
06	potential	_____	26	끊임없이	_____
07	feature	_____	27	정당화	_____
08	sigh	_____	28	필수의	_____
09	insist	_____	29	추정하다	_____
10	postpone	_____	30	좌절감, 불만	_____
11	justification	_____	31	강조	_____
12	consequently	_____	32	짓다, 제조하다	_____
13	perception	_____	33	측정 가능한	_____
14	competence	_____	34	예산	_____
15	interact	_____	35	선두 주자, 개척자	_____
16	estimate	_____	36	잠재적인	_____
17	pupil	_____	37	합창단	_____
18	refuse	_____	38	교체	_____
19	frustration	_____	39	한숨 쉬다	_____
20	appealing to	_____	40	주장하다	_____

1일

01 말 그대로   02 선조의   03 구체적인   04 알고 있는, 의식하는   05 목적지   06 가정하다   07 처참한   08 효과적인   09 직관에 의한   10 근본적인   11 세대   12 승객   13 습한   14 필수적인   15 확장시키다   16 받아들이다   17 옮기다, 이동시키다   18 상업의   19 잇따른   20 결정하다, 알아내다   21 passenger   22 fundamental   23 accept   24 lean   25 commercial   26 completely   27 expand   28 vital   29 destination   30 specific   31 determine   32 economy   33 harmful   34 heal   35 conscious   36 anxious   37 suppose   38 generation   39 humid   40 effective

2일

01 굶주리다   02 그 후에   03 발표하다, 알리다   04 인정   05 시합, 경쟁   06 결국에는   07 편집자   08 문학   09 입학, 입장, 출입구   10 정체성   11 보이다, 드러내다   12 달아나다, 탈출하다   13 속삭이다   14 곤경, 고통   15 승진시키다   16 주장하다   17 습득하다   18 의심하다   19 비평가, 평론가   20 헛되이, 소용없이   21 acquire   22 suspect   23 citizenship   24 claim   25 identity   26 distress   27 sprain   28 escape   29 honor   30 literature   31 occupation   32 promote   33 recognition   34 competition   35 represent   36 entrance   37 starve   38 announce   39 whisper   40 ahead of

3일

01 참가, 참여   02 동반하다   03 최고, 최대   04 증명서   05 등록하다   06 마감   07 기간   08 참가 (신청)   09 순위를 차지하다   10 직접 해 보는, 실제 체험하는   11 포함하다   12 부문   13 추월하다   14 접근하다, 접속하다   15 기기, 장치   16 ~의 뒤를 잇다   17 여기다, 생각하다   18 선택하다   19 등록하다   20 ~에 관계없이   21 assess   22 select   23 certificate   24 consider   25 creativity   26 overtake   27 device   28 experience   29 goat   30 kindergarten   31 maximum   32 period   33 pick   34 rank   35 register   36 accompany   37 participation   38 entry   39 deadline   40 connect to

4일

01 기도하다   02 감탄하다   03 의미가 있는, 중요한   04 분석   05 바꾸다, 번역하다, 고치다   06 결핍, 부족   07 특성   08 큰 슬픔, 비탄   09 좋은 인상을 주다   10 가상의   11 의도적으로   12 벗다, 제거하다   13 무모한   14 무관심한   15 표면, 외부   16 기진맥진한   17 주의 깊은   18 떨다, 흔들리다   19 정말로   20 미덕   21 intentionally   22 reckless   23 virtue   24 attentive   25 tremble   26 surface   27 doubtful   28 exhausted   29 forcibly   30 grief   31 reaction   32 analysis   33 significant   34 sink   35 deficiency   36 translate   37 blinded   38 virtual   39 impress   40 argument

5일

01 재료　02 인공적인　03 잠재력　04 끊임없이

05 효율적인　06 이론, 학설　07 결국　08 저항하다

09 기본적인, 중요한　10 알아보다, 확인하다　11 외관, 모습

12 가르침, 지도　13 인식하다, 여기다　14 복잡한

15 증명하다　16 유의미한, 관련된　17 탐구하다, 탐험하다

18 드러내 보이다　19 향상시키다　20 우주

21 explore　22 prove　23 perceive

24 appearance　25 reveal　26 assessment

27 complex　28 relevant　29 struggle

30 expert　31 ingredient　32 marvelously

33 method　34 organ　35 potential

36 constantly　37 resist　38 artificial

39 efficient　40 theory

6일

01 보존하다　02 닮다　03 줄기　04 등록　05 해석하다　06 일어나다, 생기다　07 지각, 인식　08 인용문

09 지역, 지방　10 선천적으로　11 요구, 필요 조건

12 제공하다, 기부하다　13 결심, 다짐　14 쌓다

15 연관시키다　16 재능　17 진정성, 정직함　18 빤히 쳐다보다　19 ~하려는 경향이 있다　20 ~ 때문에

21 stare　22 requirement　23 stack　24 quote

25 talent　26 contribute　27 creation　28 entry

29 implicate　30 resolution　31 nod

32 phenomenon　33 registration　34 resemble

35 interpret　36 compacted　37 conserve

38 perception　39 stand out　40 figure out

7일

1 예산　2 선두 주자, 개척자　3 합창단　4 짓다, 제조하다

5 강조　6 잠재적인　7 기능　8 한숨 쉬다　9 주장하다

10 연기하다, 미루다　11 정당화　12 따라서　13 인식

14 능력　15 상호 작용하다　16 추정하다　17 제자

18 거절하다　19 좌절감, 불만　20 ~에 호소하는

21 interact　22 average　23 perception

24 composer　25 refuse　26 constantly

27 justification　28 essential　29 estimate

30 frustration　31 emphasis　32 manufacture

33 measurable　34 budget　35 pioneer

36 potential　37 choir　38 replacement

39 sigh　40 insist

Memo

Memo